Babylon aan de Rhône

ANDER WERK VAN HELENE NOLTHENIUS

Renaissance in mei. Florentijns leven rond Francesco Landini (1956, 1985)

Een ladder op de aarde (roman, 1968, 1991)

De afgewende stad (roman, 1970, 1990)

Muziek tussen hemel en aarde. De wereld van het Gregoriaans (1981)

**De steeneik* (verhalen, 1984)

Een man uit het dal van Spoleto. Franciscus tussen zijn tijdgenoten (1988)

Moord in Toscane. Een monnik als speurder in de middeleeuwen (*Geen been om op te staan,* 1977, en *Als de wolf de wolf vreet,* 1980. Twee romans, 1989)

*Salamander

Helene Nolthenius

Babylon aan de Rhône

Lapo Mosca in ballingschap

AMSTERDAM

EM. QUERIDO'S UITGEVERIJ B.V.

1991

Eerste en tweede druk, 1991.

ISBN 90 214 7724 6 / CIP / NUGI 300

INHOUD

VOORNAAMSTE PERSONEN

Lapo Mosca, Clemens, Ubaldo, Toscaanse minderbroeders
Marco di Rosso, koopman in Florence
Filippo, zijn broer, filiaalhouder in Avignon
Pier Beccone, smokkelaar in Genua
Colas Cuelhauzelh, vogelaar
dr. Creyssent, arts
Mirjam, zijn dochter
ser Angelo, notaris in Avignon
Jachopo di Jachopo, barbier
Lapo di Ruspo, bankier in Avignon
Arnaldo, zijn zoon
Etienne de Cabannes, rechter aan het Wereldlijk Gerechtshof in Avignon
Peyronne van Beaucaire
Monon, haar zoon
meester Trescherel, secretaris van kardinaal Talleyrand
Aubin, schoolmeester in Beaucaire

1 Wie wisselt van land die wisselt van lot

Zolang ze door het Arnodal rijden zit Lapo Mosca te slapen. Niet omdat hij moe is: omdat hij boos is. Nooit eerder is hij op karwei gegaan, anders dan te voet en alleen. Hij is een mensenvriend, daar niet van... maar wel op zijn eigen condities. Het vooruitzicht, drie weken lang omklotst te worden door geklets in een koets stemt hem kribbig. Onder de praatgrage stemmen is er één in het bijzonder die hem irriteert. Af en toe lucht hij zijn gemoed in nadrukkelijk gesnurk.

Heeft zijn overste het hem geleverd? Hebben verklikkers het hem geleverd? Het is de Verwording der Tijden die het hem geleverd heeft. Een mensenleeftijd lang is Lapo Mosca, minderbroeder en meesterspeurder, door de wetsovertreders van Toscane gevreesd en ontzien. Tegenwoordig halen ze hun schouders over hem op. Er zijn er die lachen om wat ze zijn verouderde methoden noemen. Onlangs hebben twee lammelingen hem in elkaar geslagen en een trap af gesmeten. Niet dus omdat hij een dagje ouder wordt: omdat het criminele fatsoen achteruitgaat. Hij heeft er een paar gebroken ribben aan overgehouden. Voor hetzelfde geld was hij er de Eeuwigheid mee in gegaan.

Tegen zijn overste, de gardiaan van het klooster in Fiesole, heeft hij geheel volgens de waarheid gezegd dat hij lelijk gevallen was. Een maand later werden de twee boeven gepakt. Voor ze de strop kregen hebben ze Lapo om vergeving laten vragen. Toen was hij erbij. 'Ik wil niet langer dat je alleen op pad gaat,' heeft de gardiaan gezegd. 'Voortaan reis je met een medebroeder, zoals voorschrift is in onze orde. En zolang er oorlog is reizen jullie in konvooi.'

Zodat de gezelligheid Lapo Mosca nu tot de lippen staat. Het Hoemaaktuhet en het Daargaanwedan en het Wattochthethier zijn niet van de lucht, en al twee keer is er luid gelachen om 'Rijen maar, zoals de hoer zei tegen de bisschop'. 'Van oost naar west dan krijg je de pest' doet het ook goed; en 'Van zuid naar noord dan word je vermoord' leidt prompt naar het nieuws van de dag: 'Vermoord worden kun je overal tegenwoordig!' Ziezo, daarmee is de conversatie in de vaste baan geleid: oorlogsgeruchten, handelsbelangen, plus de grollen en dooddoeners van de irritante stem: 'Ja, ja, de mens wikt en God beschikt!'... 'Vandaag is het anders Pisa dat beschikt, broeder!'... 'Dat mocht Pisa willen, messere, het zijn de Engelse huurtroepen van Pisa die beschikken'... U weet van die vent die ging waarschuwen dat ze eraan kwamen, terwijl het alleen maar onweerde?'... 'En van die gek bij ons in Ripoli, die z'n werpspies in een mistbank gooide: hij wist zeker dat de Engelsen erachter zaten'... 'Zaten ze daar maar, dan hoefden we hiér niet bang voor ze te wezen'... 'Vrienden, we zijn overal in Gods hand!'... 'Als God maar geen gat in zijn hand heeft, broeder'... 'Allemaal je testament nog eens nagekeken, jongens? Hebben ze thuis nog wat te lachen als het misgaat'... 'Ha! Ze zouden gauw uitgelachen zijn, buurman!'... 'Zo is het: een dooie bij maakt geen honing'... 'Veel honing maakt-ie in oorlogstijd trouwens ook niet'... 'Precies! Als ik naar mijn balans van vorig jaar kijk'... 'Neem nou alleen die heffing op wol'... 'Het tocht hier, het tocht hier, kan daar nou niets aan gedaan worden?'... 'Zeker wel, opa: bontmuts opzetten'... 'Van testamenten gesproken, kennen jullie die van de ezel die zijn testament maakte?'... 'Waren zijn hersens niet voor de paus?'... 'En z'n oren voor de biechtvaders?'... 'Z'n stem was voor de zangers'... 'Z'n poten waren voor de pelgrims'... 'Ja, ja, en z'n dinges voor de weduwen! Hahahaha!'... Snurk.

'Je sluit je aan bij het eerstvolgende handelskonvooi dat naar Frankrijk gaat,' heeft de gardiaan gezegd. 'Oorlogen brengen meer kwaad volk op de weg dan anders. In de Provence moet het nog gevaarlijker zijn dan hier. Ik geef je een reisgenoot mee met een paar stevige knuisten.'

'Ook met een paar hersens als het kan,' heeft Lapo verzocht, 'anders voelen de mijne zich zo alleen.' Wat hem een berisping opleverde: wegens hoogmoed én wegens onverstand, want broeders met hersens kunnen natuurlijk niet gemist worden.

Het werd dus broeder Clemens, bijgenaamd Amordivino. Sinds hij, wegens een teveel aan dorst, ontheven is van zijn functie als bottelier, doet hij niet veel anders dan iedereen voor de voeten lopen en gemeenplaatsen verkondigen met luid, serviel gelach. Inderdaad, broeder Clemens kan gemist worden. Als ze hem in Avignon soms graag willen houden, meent Lapo te begrijpen, dan zal Florence zich daar niet tegen verzetten. Maar knuisten heeft hij, dat is waar. En wie zich met zoveel aandacht over de fles buigt, kan in een pleisterplaats misschien makkelijk 'vergeten' worden. Lapo had de keuze van deze oppasser dan ook gelaten aanvaard; maar om de volle omvang van iemands onverdraaglijkheid te ervaren moet men samen op reis zijn. Hij weet niet wat hem in broeder Clemens meer irriteert: zijn domme conversatie, of de hartelijke lach waarmee hij op andermans domme conversatie reageert. Broeder Clemens wil tot iedere prijs populair zijn en 'erbij' horen; dat geeft hem opmerkingen in die nu stichtend zijn, dan olijk, maar altijd platvloers. ('Volhouden!' mengt hij zich juist in een gesprek dat hem niet aangaat. 'Zoals de vroedvrouw tegen de kraamvrouw zei: ploeter wat langer, dan wordt het een jongen, hahahaha!') Het ziet ernaar uit dat Clemens de onvermijdelijke lolbroek van deze reis gaat worden; nu al oogst hij een soort neerbuigend succes waar Lapo zich voor geneert. Wat hem nog minder bevalt is de toon die de man tegen hém aanslaat en de steken onder water die hij zich veroorlooft. Sinds wanneer moet hij zich door een uitgerangeerde dronkelap laten behandelen als een kindse grijsaard? De heilige Franciscus was dol op vernederingen. Zo ver heeft Lapo Mosca het nog steeds niet kunnen brengen. Het uiterste waartoe hij gaan kan is de erkenning dat 'Amordivino' niet aansprakelijk is voor zijn botte insinuaties: hij kletst na wat hij anderen heeft horen zeggen.

Want er is nogal wat te doen geweest in de orde toen uitlekte bij welke gelegenheid Lapo Mosca zich in elkaar heeft laten slaan. Niet alleen gebeurde dat op een plek waar hij in het geheel niets te maken had, maar de euveldaad waarop hij de twee boeven betrapte bleek te worden verricht op last van de gemeente Florence. Ze hield verband met de oorlog tegen Pisa. Zodoende was wat euvel léék in werkelijkheid juist nobel, en een schoolvoorbeeld van opbouwende destructie. Gehangen werden de saboteurs ten slotte alleen maar omdat het dubbelspionnen bleken te zijn. Was Lapo daarvan op de hoogte geweest, dan had hij de goeien (want verkeerden) betrapt op het goeie; maar hij was er niet van op de hoogte, en dus betrapte hij de verkeerden (want goeien) op het verkeerde; en bovendien ging de zaak hem niet aan. Zo heeft hij zijn orde in een vervelend parket gebracht. Door zijn bemoeizucht is hij op het kussen van de stadsprior voor oorlogszaken gaan zitten. Voorts laadt ieder die krijgshandelingen verijdelt de verdenking van landverraad op zich. Tegen die verdenking heeft Lapo's gardiaan hem resoluut in bescherming genomen; maar Lapo's bemoeizucht is legendarisch en een bron van ergernis voor menige medebroeder. Dat zijn nare avontuur tot een bron van leedvermaak werd kon dan ook niet uitblijven. Dankte hij in vroeger tijden zijn bijnaam Mosca – vlieg – aan zijn ongedurigheid, de laatste weken zijn hem van alle kanten treiterversjes toegemompeld als:

'Een ouwe vlieg ruikt overal stront...'

En in hoeveel Florentijnse kloosters zal niet van cel tot cel het volksrijm zijn doorgegiecheld:

'Andermans zaken doen zonder verstand
is zinloos als 't koken van soep in een mand.'

Het is duidelijk dat ook broeder Clemens daar gretig aan heeft meegehoond zo vaak hij nuchter was. Anders had hij niet nu al voor de tweede keer laten weten dat 'niet in iedere witte kop hersens zitten'. Allicht. Levenslang heeft hij Lapo een ingebeelde kwast gevonden die voorgetrokken werd: hier liggen eindelijk zijn kansen. Te lang moeten ze niet blijven liggen, anders lazert hij een keer de koets uit. Lapo Mosca heeft zijn opdrachten in Avignon niet alleen gekregen omdat hij maar beter een poosje uit Florence kan verdwijnen. Zijn gardiaan, die hem ondanks alles een goed hart toedraagt, was er ook op uit om hem wat op te vrolijken en op andere gedachten te brengen. Maar hoe kan een mens op andere gedachten komen als hij gedurig met vorige gedachten om de oren geslagen wordt? Door zijn oogharen kijkt Lapo af en toe naar een riviertje dat naast de rijweg stroomt. Door de herfstregens is het aardig gezwollen. Zou die Clemens eigenlijk kunnen zwemmen...?

De meeste deelnemers aan het handelskonvooi reizen te paard, maar bejaarden en onsportieven zijn in wagens geladen. Verder lopen er lastdieren mee; en militairen van de Florentijnse stadswacht, blazoen op het kuras, rijden patrouillerend heen en weer. In normale tijden begeeft men zich naar Frankrijk per schip vanuit Pisa. Sinds er oorlog is met Pisa reizen de Florentijnen over land, langs wisselende routes om hinderlagen te voorkomen. Dat is dan weer het mooie van oorlog: Lapo Mosca heeft zijn bekomst van de zee. Eén keer is hij, door schipbreuk, bijna verdronken en één keer, door zeerovers, bijna vermoord. Over land gaan betekent bovendien: een massa bergen over. De klim naar de eerste pas kan niet lang meer op zich laten wachten. Die zal het reistempo dermate vertragen dat een stevige wandelaar de colonne met gemak kan bijhouden, buiten gehoorsafstand van spraakzame reisgenoten. (Ze zijn inmiddels aan verveling ten prooi gevallen en halen pittige anekdotes uit hun repertoire. 'En omdat hij onder zijn kamerjas geen broek aan had,' hoort hij Clemens juist zeggen, 'hield de kat hem voor een worstje!')

Lapo zucht en grijpt maar eens naar zijn reiszak.

Gewoonlijk reist hij zonder bagage, op last van de apostelen en Sint-Franciscus; maar wie in deze tijden naar Avignon moet krijgt van alle kanten brieven en pakketten toegestopt. Er wonen nogal wat Florentijnen in die buurt, en van postverbindingen is tijdens een oorlog niet veel sprake. Franciscanen worden geacht hun bestemming vaker te bereiken dan gewone reizigers. Vandaar.

Toscanen hebben verstand van alles, en speciaal van zaken doen. Ze handelen in specerijen en wapens, in handschriften, sieraden en fournituren, maar vooral in textiel. Ruwe stoffen importeren ze, verwerkte stoffen voeren ze uit. Dat drijft ze de kusten langs en de rivieren op, tot in Vlaanderen en Engeland toe. Een stad als Florence lijkt op een poliep met tentakels, en een van die tentakels eindigt aan de goed bevaarbare Rhône in Avignon. Alle grote banken en handelshuizen hebben er filialen, en sommige hebben wereldwijde betekenis gekregen sinds ook de pausen zich daar hebben gevestigd. Dat is onderdehand ruim vijftig jaar geleden. Ze maken weinig aanstalten om weer te vertrekken, ofschoon iedereen weet: ze horen er niet. Het is in Rome dat ze horen, zo heeft God het indertijd met de heilige Petrus geregeld. Vooral in Italië leeft dat besef; velen daar beschouwen Avignon als een soort buitenverblijf van het Lateraan. Er wonen tegenwoordig duizenden Italianen uit alle lagen van de bevolking; Toscanen vooral. De meesten wonen er goed, want waar de paus is, is de verdienste. Zelfs als hij zonder geld zit, wat nogal eens voorkomt. Bij de Franse koning hoeft hij dan niet aan te kloppen: die is zelf blut; en alle andere koningen houden zich doof. Zo is het bij de bankiers van Florence dat Hunne Heiligheden plegen te lenen, en ook daarom zijn er Toscanen die Avignon als hun eigen nederzetting beschouwen.

Dat alles kan de reiszak van Lapo Mosca goed merken. Thuisblijvers laten zich geen gelegenheid ontgaan om iets van zich te laten horen. Er wil nogal eens wat zoek raken onderweg, dus hoe vaker ze sturen des te groter hun kansen; net als in een loterij.

Dat ze Lapo Mosca in de afgelopen dagen zijn komen aanzetten met dozijnen brieven is tot daaraan toe; maar ook konfijten, kazen en kruiken met zelfgestookte brandewijn moeten mee. Firmanten hebben hem opgescheept met stofmonsters en complete boekhoudingen. De meeste meegevers hebben in geen maanden iets van hun emigranten vernomen, en andersom zal de post niet veel beter gefunctioneerd hebben. Sommige bezorgde zakenlui hebben Lapo veiligheidshalve kopieën toevertrouwd van wat ze al eens eerder, en naar ze vrezen vergeefs, hebben verstuurd; dat maakt zijn zak ook al niet lichter. Ze bezwoeren hem om extra goed op hun zendingen te passen; alsof ze aanvoelden dat de broeder eigenlijk veel meer hart heeft voor de onbeholpen levenstekens die vrouwen en moeders voor een kleine denaar aan een schoolmeester dicteerden. Simpele wederwaardigheden: dat het meel weer omhoog is, en de koorts nog niet omlaag, dat de zomer te droog is geweest en de weggelopen slavin niet gevonden; en de betraande moed van: de Madonna zal je beschermen want we staken een kaars voor haar op...

De schrijfsels zijn zelden verzegeld: was kost geld. Lapo zal er op zijn reis vele uren aan besteden. Betweters mogen dan neuzelen dat nieuwsgierigheid een ondeugd is: als deze brieven ook weer zoek raken kan hij de geadresseerden tenminste iets vertellen van thuis. En betweters mogen dan twijfelen aan de hersens in een 'witte kop': het geheugen in de witte kop kan nog aardig mee.

Bij steile stijgingen onderbreekt hij zijn lectuur en ontsnapt hij uit de koets. Een frisse bergwind blaast de ergernissen uit zijn hoofd en af en toe kijkt zijn gewone goede humeur om een hoek als de zon van achter een wolk. Op naar Avignon! Leuk! In geen jaren geweest! Even die Clemens afschudden en dan zal hij eens laten zien dat hij nog altijd een vakman is.

Ze zéggen: hij wordt oud,
Ze dénken: hij wordt zot.
    Hun mening laat me koud.
Ze zeggen: hij wordt oud,
    maar daar 's geen boef zo boud

of 'k grijp hem bij zijn strot.
...En overigens ben ik nog helemáál niet oud...
Wie is er hier dus zot?

Pittig ritmetje. Marcheert lekker.

Twee opdrachten voeren Lapo Mosca naar Avignon.

Vorig jaar heeft de Zwarte Dood weer eens huisgehouden. Ditmaal toonde hij speciale belangstelling voor hoge prelaten: bijna de helft van het kardinaalscollege heeft het af laten weten. Daar was een kardinaal uit Florence bij en zoals dat gaat: in zijn vaderstad maakte zijn dood meer indruk dan ooit zijn leven. De aandacht ging niet zozeer uit naar zijn eeuwig lot als naar zijn testament. Een kardinaal heeft in de regel best wat na te laten en de gewoonte wil dat de stad waar hij bisschop geweest is, daar niet bij wordt vergeten. Die van Florence heette Francesco. Hij is meer dan eens bij de franciscanen op retraite geweest. Vijfhonderd goudflorijnen zijn hun toebedeeld. Nu geven franciscanen niets om geld, zoals iedereen weet; desondanks viel hun op: wat hen uit Avignon ook bereikte, goudflorijnen niet. Lapo Mosca moet eens gaan informeren of er nog wat van komt.

Waar Florentijnen zaken doen zijn Florentijnse notarissen. Een van hen moet sinds maanden in het bezit zijn van een volmacht uit Florence om de zaak naar beste kunnen af te wikkelen. Nu kan het zijn dat in Avignon ook het beste kunnen niet goed genoeg is zodra het om geld gaat. Voor zover Lapo heeft begrepen is de Heilige Geest er dag en nacht bezig met centen tellen. Van de laagste deurwachter tot de hoogste kardinaal steekt niemand er een vinger voor je uit of de bijbehorende hand moet gevuld worden. De lieve Jezus zelf kreeg geen voet over de drempel zonder smeergeld. En daar zou Lapo in moeten slagen? Die klus is een zoethoudertje.

Hoe hij de tweede opdracht waarderen moet weet hij nog steeds niet goed, ofschoon ze hem verleend werd door niemand minder dan de generaal van de Orde. Toen die toevallig vernam dat er iemand naar Avignon ging die goed was in snuffelen, liet hij Lapo verzoeken om eens uit te kijken naar een medebroeder die vermist werd. Lapo had al op de chagrijnige lippen: vermiste monniken opvissen uit een stad met honderd bordelen! Geen beginnen aan!

Gelukkig hoorde hij bijtijds: áls de vermiste nog leefde, dan in een pauselijke gevangenis. Op het generalaat was al lang niets meer van hem vernomen. Hij was ooit aangeklaagd wegens ketterij, maar noch veroordeeld, noch vrijgelaten. Officiële navraag had niets opgeleverd. Zijn naam is Jean de Roquetaillade. In zijn geschriften noemt hij zich, op z'n Latijns, Johannes de Rupescissa, maar dat neemt niet weg dat hij een Fransman is – of was.

Weer een zoethoudertje? Zoals er Florentijnse notarissen zijn in Avignon, zo zijn er minderbroeders. Franse minderbroeders, een klooster vol. Waarom moet daar een Toscaan bij gehaald worden?

Omdat zijn landgenoten die Roquetaillade zo goed als dood verklaard hebben. De gardiaan in Avignon is van de Inquisitie en zag hem liefst op de brandstapel. Niet alleen bekommeren ze zich zélf niet om broeder Jean, ook Lapo hoeft bij zijn zoekpogingen op hun hulp niet te rekenen. De vermiste hoort tot de zwarte schapen van de orde. Een onheilsprofeet die tegen niemand een blad voor de mond nam en het altijd had over schuld, hel en verdoemenis. Ook over de toekomst van de minderbroederorde wist hij weinig goeds te melden.

Deze gegevens hebben Lapo Mosca in een tweestrijd geworpen. Hij loopt nog niet lang achter de koets aan als hij er weer middenin zit. Van waarzeggers moet hij niets hebben, niet als ze liegen en nog minder als ze de waarheid spreken. Messer Dante Alighieri stopte ze in de hel, en dat is precies waar ze horen. Ook als ze geen ketterijen verkopen zijn hun grimmige voorspellingen slecht voor de gezondheid. Wie ze oppakt beschermt de samenleving. Ja. Alleen zijn er onder die waarzeggers steeds bijzonder veel minderbroeders geweest, vooral Italianen; en als rechtstreeks verantwoordelijk voor hun droevig lot geldt de paus van tegenwoordig. Innocentius VI is in Lapo's omgeving alles behalve geliefd. Hij staat bekend als onverzoenlijke franciscanenvreter. Wie in zíjn kerkers uit snuffelen gaat, waagt zijn huid.

Zoeken naar een waarzegger waar de wereld niets mee gediend is: een zoethoudertje? Maar het lam dat door zijn herder wordt uitgezocht om in het hol van de leeuw uit snuffelen te gaan, is niet zo maar een lam. Aan deze opdracht zitten ook voor de orde risico's vast. Goed beschouwd: de eerste de beste kan er niet mee belast worden. Je zou het een blijk van vertrouwen kunnen noemen. Dat blijk heeft Lapo Mosca hard nodig. Rekende hij in gedachten broeder Jean tot de zwarte schapen? Daar hoort hij zelf ook bij, de laatste maanden. Zwarte schapen moeten solidair zijn.

Een vreemde man overigens, die Roquetaillade. Hij schijnt de luxe van de kerkvorsten gehekeld te hebben. Dat kan natuurlijk nooit kwaad; maar blunders heeft hij ook gemaakt. Zo heeft hij beweerd dat er binnenkort twéé pausen zullen zijn omdat de rots van de Kerk gaat scheuren. Een in Rome, een in Avignon: twee opperherders tegelijk die elkaar naar de keel grijpen en elkaar in de ban doen. Dat kan natuurlijk niet, daar is de Heilige Geest zelf bij. Nee, in de visioenen van broeder Jean heeft Lapo weinig vertrouwen.

Behalve misschien wat de komst van de Antichrist betreft. Dat is niet zo maar een voorspelling: die komst hebben Jean en andere geleerden secuur berekend op grond van de Heilige Schrift. Daar valt dus moeilijk aan te twijfelen.

Uit zijn jonge jaren kan Lapo Mosca zich geen algemene belangstelling voor het Eind der Tijden herinneren. Sinds de grote pest van 1348 zijn rampen en Antichristen weer aan de orde van de dag. Zelfs in de koets beginnen de reizigers erover als de schemer valt en ze honger krijgen. Allemaal hebben ze de donderpreken van een beroemde dominicaan nog op de lippen, ofschoon de Vasten waarin hij ze hield al acht maanden voorbij is. Ze gingen over de verschrikkingen die de spoedige komst van de Antichrist begeleiden zullen. Geweeklaag en duisternis! Muggen en horzels zullen opstijgen uit de moerassen! Geen water zal er door de rivieren stromen maar bloed! Hagel en sprinkhanen, veepest en lepra! Tot het uur waarop de aarde opensplijt en de Antichrist zijn intree doet in vuur en zwavelstank...

Ook Lapo heeft een aantal van die preken gehoord, en net als de anderen is hij ervan geschrokken. Het belet hem niet zich af te vragen of die broeder Jean, als hij ook zulke taal uitslaat, maar niet beter vermist kan blijven. Waarmee zijn tweestrijd over deze opdracht van voren af aan kan beginnen...

...Tenzij hij terechtkomt in een ander duel dat nog steeds niet werd beslecht. De geest is een strijdperk vol jostérende gedachten. Daar hoeft een mens waarachtig niet voor gestudeerd te hebben.

Twintig jaar geleden is het dat hij Avignon heeft bezocht. Hij bewaart er glanzende herinneringen aan... waarvan hij inmiddels geleerd heeft dat ze niet deugen. Als lieflijke waterrozen drijven ze op een smerige poel.

In die tijd zat er een heel andere paus op de troon... en liep er een heel andere Lapo door de straten: geen monnik, een speelman met een vedel. Het is het speelmans-Avignon dat hij onthouden heeft. De kleine stad aan de grote Rhône als één feestzaal, één wirwar van kleurige vaandels en guirlanden. Processies en toernooien wisselden elkaar af, en was er geen bal aan het hof, dan was er wel bal bij een van de kardinalen. Het krioelde van potsenmakers en muzikanten, beerdansers en vlamvreters, van schilders, dichters en architecten. Ook de burgers zijn tuk op muziek, huis aan huis halen ze Lapo binnen, Lapo van Lucca, de vedelaar. Huis aan huis heeft hij succes, zelfs bij Fransen, ofschoon die in beginsel alleen klappen voor andere Fransen; en huis aan huis betalen ze hem goed. Ook het hof wordt door niemand verlaten zonder zilveren handdruk en een nieuw stel kleren. Hij heeft zich daar één keer zelf laten horen, en hij ziet zijne Heiligheid nog voor zich: Clemens VI, een joviale Gascogner met een vrolijke dronk en een scheutige hand. Volop was hij zijn uitverkiezing door de Heilige Geest aan het vieren. Daar zou hij zijn hele pontificaat mee bezig blijven. Geen wonder dat zijn opvolger er vandaag naargeestig bij zit: die erfde niets dan schulden.

Voor een oud-speelman is het moeilijk aan Clemens VI terug te denken zonder glimlach. Die glimlach moet weg, het is een glimlach van vroeger. In het vrolijke Avignon gebeurden de gruwelijkste dingen. Omkoopbaarheid vierde hoogtij. Niet alleen kerkelijke ambten, alle denkbare privileges werden verkocht. Zelfs de pauselijke bliksemstralen van ban en interdict werden verpacht aan de koningen van Frankrijk, zodat ze vijanden troffen die in het geheel geen vijanden van de Kerk waren. Onschuldige berispers belandden in kerkers, waardeloze vleiers op tronen; en tomeloze wellust triomfeerde tot in de hoogste gelederen.

Van al die wandaden is Lapo pas op de hoogte gebracht, lang nadat hij niet enkel Avignon, maar de boze wereld als totaal had verlaten. Hij heeft bovendien de tekst te horen gekregen van een brief die Lucifer, Heerser der Duisternis, gericht heeft tot zijn vriend en bondgenoot de paus. Die wordt daarin bedankt voor de steeds rijkere oogst aan zielen die de hel tegenwoordig mag binnenhalen. Dat de duivel een echte pen op echt perkament zou zetten heeft Lapo zich nooit zo goed kunnen voorstellen; maar een brief dicteren aan een aardse schrijver: waarom niet? Zo kwamen de evangelisten toch ook aan hun kopij? In elk geval is het aan deze brief, die zo haaks staat op zijn eigen zonnige indrukken, dat hij vaak moet denken nu hij terugkeert naar wat messer Petrarca 'Babylon aan de Rhône' genoemd heeft.

Misschien – dat denkt hij erbij – misschien ten onrechte. De opperherder van vandaag vaart in elk geval een andere koers. Het schijnt uit te zijn met de feestelijkheden. Niet alleen heeft Innocentius – een bejaarde, ziekelijke, bangelijke professor – daar weinig liefhebberij in, hij heeft er ook het geld niet voor. Zelden zijn de financiën van de Heilige Stoel er zo beroerd aan toe geweest. Overal woeden oorlogen die de geldstroom afknijpen. Regeringen zijn er zo mee bezig dat ze de paus in de steek laten. Soldijloze huurbenden terroriseren de Provence. Om ze af te kopen, een stadsleger te werven, de muren te verstevigen, moet Innocentius in eigen zak tasten. Bij gebrek aan contanten stuurt hij zijn bezittingen naar de veiling. Hoe zou een vedelende liedjeszanger in die omgeving nog wat kunnen verdienen? Het is maar goed dat het Lapo Mosca tegenwoordig te doen is om verdiensten met eeuwigheidswaarde...

De gewijzigde situatie in Avignon en de twee officiële opdrachten die hij er moet gaan vervullen: dat Lapo daar zo ijverig over heeft lopen denken heeft met de ijver te maken waarmee hij een derde, niet-officiële opdracht uit zijn gedachten verdringt. Overdag lukt dat aardig, maar 's nachts, als hij in een ellendig bergdorp op een even ellendige strozak ligt, is er geen ontkomen meer aan.

Broeder Clemens heeft zich, nog voor hij goed en wel de koets uit was, aan de dorpelingen omstandig doen kennen als een onweerstaanbare humorist. Dat bezorgde hem onderdak bij de plaatselijke pastoor, zodat Lapo zijn tochtige schuur alleen hoeft te delen met knabbelende konijnen. Een onderscheiding waar hij Franciscus voor bedankt: konijnen staan bekend om hun zwijgzaamheid.

Hij kreeg zijn derde opdracht op de valreep, die morgen vroeg. Florence zweefde nog tussen donker en licht. De klokken van de Apostelkerk hadden even geluid, enkele schemerige gestalten waren het portaal binnen gegaan. Een ervan was op de uitkijk blijven staan. Pardoes liep hij haar in de armen toen hij hijgend kwam aanzetten. Hij herkende de kamenier van madonna Maria Macchiavelli, en was meteen in paniek. Was ze er niet, zijn Maria?

'Zij is er en Híj komt eraan,' zei stichtelijk de koster, die ook in het portaal bleek te staan. Uit het kerkschip klonk het belletje van de consecratie: Lapo, opgehouden door een cadeau-meegever, was veel te laat. Het drietal sloeg een kruis en ging naar binnen.

'Straks wachten in de sacristie,' fluisterde de kamenier. 'Mevrouw wil je spreken.'

'Maar ik kan niets voor haar doen,' hakkelde hij hulpeloos. 'Ik moet op reis. Wie weet voor hoe lang.'

'Dat heeft ze gehoord. Daar gaat het juist om.'

Als een geslagen hond sloop Lapo Mosca de sacristie binnen. De kamenier knielde, giechelend, naast haar mevrouw.

Het is oud nieuws, iedereen weet het in de stad. In zijn jonge jaren heeft Lapo de speelman een soortement vriendschap gesloten met een klein meisje uit een groot geslacht. Half als een spel heeft hij haar tot zijn Dame verheven – zangers horen een Dame te hebben – en zij, met de diepe ernst van haar acht jaar, aanvaardde hem als haar Ridder. Honderden liedjes heeft hij op haár gemaakt die overal gezongen werden, maar spreken doen ze elkaar nooit. De een is getrouwd, de ander werd monnik, minneliedjes zijn er niet meer bij; maar Lapo's verering voor het frêle meisje-van-toen is gebleven. Het is om haar dat hij de vroegmis in de Apostelkerk bezoekt zo vaak hij op karwei moet: om dat ene moment waarin hij haar de offerschaal voorhoudt en, mét een muntje voor de Kerk, een glimlachje incasseert voor hem alleen. Geen woorden: voor wie een vriendschap gaaf wil houden is ieder woord er een te veel. En geen wijzigingen: voor wie aan het ritueel de waarde van magische voorzorg is gaan hechten, loopt bij de minste inbreuk de dag in het honderd.

Wat bezielde zijn Madonna? Lapo had minuten zenuwachtig door de sacristie lopen ijsberen voor hij ruimte vond voor het inzicht: dat Maria hem werkelijk nodig moest hebben, wilde ze zo van de traditie afwijken. Het zweet brak hem uit, en toen de mis gedaan was, de pastoor zijn kazuifel was komen afleggen, de koster alles opgeruimd had, en beiden waren vertrokken, klemde hij zich vast aan de onzinnige gedachte: dat het misschien niet hoefde, een vergissing was, een grap...

Zij kwam. Zij glimlachte. Lapo boog, zou haar de hand willen kussen, durfde niet.

'Is het waar dat je naar Avignon gaat?'

Hij knikte, zijn stem was een bel die niet overging.

'Naar de paus...?'

Hij schudde het hoofd: hopelijk niet.

'Broeder Lapo, wil je iets voor me doen? Heb je daar tijd voor in Avignon?'

Hij glimlachte. Die tijd zou hij hebben, al bleef hij maar een uur. Maria's hoofd boog iets dichter naar hem toe.

'Arnaldo di Ruspo,' zei ze, heel duidelijk opeens. 'De bankier. Hij is mijn neef. Hij zit gevangen. Bevrijd hem.'

'Be-vríjd-hem...?' Verbijstering gaf Lapo zijn stem terug. 'Uit de kerkers van de Paus...??! Madonna, stuur een huurleger.'

'Hij is onschuldig. Bewijs dat. Dan moeten ze hem vrijlaten. Alsjeblieft, broeder Lapo, doe dit voor mij. Je bent zo goed in die dingen.' Er rolden warempel tranen over haar wangen. 'Er is niemand anders die me kan helpen. Je was toch mijn Ridder? Ik was toch je Dame? Arnaldo en ik, we zijn samen opgegroeid. Hij is als een broer voor me. Beloof het me. Ja? Zoek hem in elk geval op. Zeg hem... dat ik aan hem denk...'

En weg gleed ze, het kerkschip weer in waar de kamenier op haar wachtte. Hij zag ze door de schemer gaan. Een lichtplek, toen de deur openging. Een plof, toen hij dichtviel. Haar neef! Ha! Wat daar stond te snotteren was meer dan een nicht.

Lapo Mosca gooit zich om op zijn strozak. Arnaldo di Ruspo. De naam roept het mooie gladde smoeltje in hem op van de jongen die hij in het gezelschap van de kleine Maria placht te zien. Opgegroeid bij zijn ooms tot zijn vader hem meenam naar de vestiging in Avignon. Arnaldo di Ruspo, jawel. Tienmaal knapper dan de bruidegom die voor Maria was uitgezocht; en twintigmaal knapper dan Maria's 'Ridder'. Arnaldo di Ruspo, losbol, praatjesmaker, verleider, bedrieger. Als hij ergens op zijn plaats is, dan in een cachot. Hem bevrijden! Dat vraagt ze aan mij! Wat denkt ze dat ik ben, een eunuch? Geef een vrouw een hart en het klopt voor de verkeerde. 'Zeg hem dat ik aan hem denk.' Wel ja, geef je overspelige berichten maar mee aan een onnozele minderbroeder. Aan je man moest ik ze doorgeven, Madonna!

De gedachte aan Maria's man kalmeert hem ten slotte. Hij mag die man niet. De paar keren dat hij hem heeft ontmoet beklaagde hij Maria. Zijn galante avonturen worden de hele stad door gegniffeld. Is het zo'n wonder dat zijn vrouw bleef dromen van de speelkameraad uit haar jeugd? Je moest niet zo jaloers wezen, ouwe kerel. Wat weet je helemaal van die Arnaldo? Waarom zou hij een schurk zijn? Hoeveel zitten er niet bij vergissing vast in Avignon? Hoeveel worden er niet bij vergissing veroordeeld...?

Hij slaapt bijna als een gedachte zich losmaakt en hem steekt als een schorpioen, vreselijker dan alle voorafgaande gedachten: Terug moeten komen en zeggen: ik was te laat, Madonna. Hij hing al... Onmogelijk, onmogelijk! Als dat ondier de pijp uit gaat kan ik nooit meer bij haar aankomen.

Het duurt geruime tijd voor hij een compromis bedacht heeft. Uw boodschap heeft zijn laatste ogenblikken verzacht, zal hij zeggen. Hij is gestorven met uw naam op de lippen...

Aangenomen dat niemand het controleren kan.

Dal in dal uit, pas op pas af. Kleine wegen, de gewone route is te riskant. Het duurt ruim een week eer ze in Bologna zijn, waar ze oorspronkelijk helemaal niet heen wilden.

De twee minderbroeders zijn nog geen uur in het klooster van hun orde waar ze zullen overnachten, of Lapo wordt bij de econoom geroepen. Een Toscaanse confrater heeft laten vragen of hij zich bij het konvooi kan aansluiten. Na enkele studieweken in Bologna keert hij terug naar Parijs, waar hij aan de Sorbonne doceert. Hij rijdt geen paard. Is er plaats in een koets?

'Volgens mij niet,' zegt Lapo, 'maar dat moet u aan de konvooileider vragen.'

Wat pater-econoom uiteraard al gedaan heeft. Inderdaad, ze zijn volgeboekt. Magister Ubaldo de S. Brigida kan alleen mee als een ander zich terugtrekt... uiteraard niet iemand die het volle reisgeld heeft betaald. Het zou voor het hele gezelschap een groot voordeel zijn, pleit de econoom, over een medereiziger te beschikken die voortreffelijk Frans spreekt.

Lapo houdt bescheiden voor zich dat ook zíjn Frans ermee door kan. Hij wijst er enkel op dat ze in Avignon Provençaals spreken. Hoopvol voegt hij eraan toe dat híj overigens best wil gaan lopen.

Maar nee, dat is de bedoeling niet, de broeder reist immers met opdrachten! De econoom had gedacht aan broeder Clemens. Die reisde alleen mee als verplichte metgezel. Daar kwam dan nu de magister voor in de plaats.

Een godsgeschenk! Ook, zo blijkt, voor de minderbroeders van Bologna. In de keuken zijn ze verrukt van Clemens. Zo'n vrolijke bruikbare man, en wat heeft hij een verstand van wijn! Lapo vertrekt geen spier. Romagnolen en wijn...! Hij laat zich de lof zingen van magister Ubaldo, een beroemdheid waar zelfs hij wel eens van gehoord heeft. De man trok in brede kring de aandacht door zijn commentaar op de werken van een medebroeder die al lang dood is, herinnert hij zich, hoe heette die ook weer... ha, de econoom noemt hem juist: Roger Bacon. Behalve theologie heeft Ubaldo ook de *Philosophia Realis* bestudeerd. Kortom, een parel! De trots van de orde!

Lapo herinnert zich dat hij zijn gardiaan om een reisgenoot met een paar hersens gevraagd heeft. Het ziet ernaar uit dat hij overdadig zijn zin krijgt.

Magister Ubaldo blijkt zich zeer bewust te zijn van zijn uitzonderlijke capaciteiten. Hij drukt zich graag uit in het Latijn en behandelt minder geleerde stervelingen met vermoeide minachting. 'Ah, de dievenvanger,' heeft hij gezegd toen Lapo zich aan hem voorstelde, en hem verder geen woord waardig gekeurd. Buitenshuis beweegt hij zich steevast met een oliedoek, gespannen op een houten raam. Hij steekt het aan twee stangetjes omhoog zodra hij een voet over de drempel gezet heeft, want van zon krijgt hij hoofdpijn en van regen krijgt hij keelpijn; dat zit hem in zijn geleerdenleven en in zijn adellijke afkomst. Zijn familie woont op een kasteel. Volgens de econoom – die niet van een kasteel komt – is hij niettemin ontzettend nederig gebleven. Dat zal dan wel. Rijden maar weer.

Rijden, inderdaad: na de vertragende bergen is nu de vlakte gekomen die geen gewandel meer toestaat, en waar bovendien niets te kijken valt; vandaar dat Lapo, na dagen, weer eens een greep in zijn reiszak doet. Onder de koetsgenoten neemt de verveling toe.

Het noorden van Italië, dat weet elke Toscaan, is op zijn best een noodzakelijk kwaad. Je moet erdoorheen, maar alles is er grauw, klimaat, keuken, vrouwvolk. Vandaar, aldus de koets, dat er met Lombardische zakenlui zo weinig te beginnen valt. Ze zijn niet wendbaar. Ze hebben geen enkel gevoel voor humor. Het is dan ook uitkijken, als je iets aan ze verdienen wilt. Een van de reizigers herinnert aan een kleine gokker die de Mus genoemd werd: omdat zijn watervlugge vingers de klanten steeds voor waren verdiende hij kapitalen aan een stomme truc met een balletje. In Florence dan: in Lombardije trapte geen mens erin, echt helemaal niemand, en hij probeerde het tot in Como toe. Voor geintjes met noorderlingen moet je van goeden huize komen, zeggen de reizigers met spijtig respect; en daarna vallen ze in slaap.

Lapo kent de gewone brieven die hij meekreeg nu zowat uit zijn hoofd. Naar de zakelijke stukken heeft hij niet eerder gekeken, weerhouden door geringe belangstelling en afwerende zegels. Hij kan met zegels weliswaar goed overweg, maar lospeuteren kost tijd en moet de moeite waard zijn. Aan bankbescheiden die kennelijk vol transacties en wisselkoersen staan, begint hij daarom niet eens. Ook de rest valt trouwens tegen. Met een half oog leest hij hoe een juwelier sinds maanden wacht op een orderbevestiging voor een partij zilveren gordels; hoe een apotheker jammert dat hij zijn Arabische reukoliën niet nog langer bewaren kan; hoe een rariteitenhandelaar ten einde raad zijn bestelling van exotische vogels uit de Rhônemoerassen wil opschorten tot na de winter. Ook een grote firma uit Por S. Maria, in zijde en brokaat, kwam tot de conclusie dat een vorige zending zoek moest zijn geraakt. Ze scheepte Lapo op met een kopie van een lijvig document, bestemd voor haar filiaal in Avignon. Voor dat poststuk heeft hij wat meer belangstelling. Hij kent de zaak van Marco di Rosso, waar het geschrift vandaan komt. Behalve stoffen verkopen ze er ook boeken, crucifixen, beschilderde panelen. Omdat de schrijvers en schilders uit Lapo's kennissenkring ongeveer van de wind leven, is hij benieuwd naar de prijzen die de tussenhandel voor hun produkten vraagt.

Het is blijkbaar een jaarverslag. Daar wijst de aanhef op, die in Florence voor dat soort verslagen gebruikelijk is:

In naam van God en het Geldverdienen.

God en Geld, in één onwelriekende adem: Sint-Franciscus zou huilen om zo'n begin. Lapo al lang niet meer. De Mammon is heilig verklaard in de zakenwereld van Florence: waar de beurs vol van is, daar vloeit de mond van over. Zijn blik glijdt gelaten langs de kolommen en cijfers die op het motto volgen. Voorlopig heeft het 'verslag' meer van een prijslijst, wat het speuren vergemakkelijkt. Niet dat het iets oplevert: de kunst en de wetenschap waar hij naar uitkijkt schijnen niet vertegenwoordigd te zijn. Blad na blad is gevuld met rollen scharlaken (150 fl.), goudbrokaat uit Venetië (30 fl. per el), martervellen om mantels te voeren (80 fl.) en lakens met gouddraad uit Damascus (32 fl. per stuk). Geen fascinerende lectuur voor iemand wiens hele garderobe bestaat uit twee onderbroeken en een pij van zakkengoed.

De kolommen zijn haastig neergeschreven en niet erg duidelijk. Ze worden nog onduidelijker doordat ze aan elkaar hangen van de beruchte afkortingen die een zakenbrief bijna tot een geheimschrift maken voor een niet-deskundige; alsof er op pottenkijkende postbodes gerekend is! Lapo heeft er al geruime tijd op zitten turen eer tot hem doordringt dat het 'jaarverslag' zich niet van het Italiaans bedient maar van het Latijn, vermoedelijk ten behoeve van buitenlandse belanghebbenden. Zolang de lijsten stoffen vermelden vallen de verschillen nauwelijks op. Voor weefsels als wol, linnen, scharlaken, gebruiken de twee talen nagenoeg hetzelfde woord. De stiekeme lezer wordt pas alert wanneer de kopiist komt aanzetten met krabbels als gld^{s}, clp^{s}, gal^{s}. Hij moet het onderste van zijn Latijnse kennis bovenhalen voor hij kan vaststellen dat het handelshuis Marco di Rosso behalve brokaat en zijde tevens zwaarden, schilden en helmen verhandelt.

Lapo's Latijn heeft nooit veel om het lijf gehad. Het is bovendien geheel gericht op geestelijke zaken. Een handvol psalmen en gebeden, zijn kloosterregel, de geschriften van Vader Franciscus: daarmee kan hij uit de voeten; maar Latijnse termen voor kurassen en lansen, ijzeren handschoenen, beenplaten, borstbeschermingen en wat Marco di Rosso verder nog in de aanbieding heeft, zijn zelfs als tijdverdrijf op een saaie reis nauwelijks van nut. Hoogstens sporen ze aan tot verder onderzoek: waar, achter het mom van stoffen, wapens worden opgevoerd, kunnen ook boeken en panelen nog aan bod komen.

Maar een bladzij verder maken de cijferkolommen plaats voor volzinnen, en nu wordt goede raad duur. Er is plotseling sprake van een dame die met Monna Ginevra wordt aangeduid. Ze lijkt in verbinding te staan met iemand die uit Umbrië komt, en op te moeten passen voor iemand die de naam of bijnaam Gallus draagt: Haan. Wat ze in een jaarverslag te maken hebben is niet duidelijk.

Lapo werpt een schuine blik op zijn reisgenoot. Voor een magister in de theologie is zo'n passage natuurlijk gesneden koek...

Ubaldo is juist aan het woord. Het gezelschap, wakker geschokt door een gat in de weg, is opnieuw aan het moppen tappen geslagen. De magister weet ook een leuke: die van de weduwnaar die zijn gast de tuin laat zien: 'Hij wijst op een boom en zegt: daar hebben alle drie mijn vrouwen zich aan opgehangen. Vraagt de gast: O! Kan ik daar geen stekje van krijgen?' Lapo ziet ervanaf, de hulp van de subtiele geleerde in te roepen. Zoveel kan die Monna Ginevra hem tenslotte ook niet schelen. Het is waar, hij heeft het onmiskenbare gevoel dat Marco di Rosso zich in deze regels verwijdert van het argeloze rechte pad eens jaarverslags. Dat gevoel moet hij afwennen, heeft zijn gardiaan gezegd. 'Oude vlieg ruikt overal stront...'

Hij wil het geschrift juist opbergen als zijn oog valt op een volzin in zuiver, gemakkelijk kerklatijn. Ha, wat daar staat kan hij zonder aarzeling begrijpen. Ook de afkortingen vormen hier geen probleem. Zonder moeite ontcijfert hij: 'Cave! Scripta Sancti Petri inveniuntur apud gardianum florentinum iuxta pontificem', ofte wel: Attentie! De geschriften van de heilige Petrus berusten bij de Florentijnse gardiaan in de omgeving van de paus.

Dat is verrassend nieuws. Een handelshuis vermeldt geen geschriften van de heilige Petrus als het die niet op de markt wil brengen; maar hoe kan het dat doen als ze in het bezit zijn van een Florentijnse gardiaan? Fungeert de man misschien alleen als postbode, zoals Lapo zelf? Welke gardiaan kan dat trouwens zijn, hij kent ze allemaal en niet een vertoeft er 'iuxta pontificem'. Misschien moet 'fl.' toch niet als Florentijns gelezen worden, maar is het een eigennaam? Met enige moeite diept hij een broeder Flavio uit zijn geheugen op – of was het Florens? Sinds zijn noviciaat heeft hij hem niet meer gezien, een kleine zuiderling, beroemd om de manden vijgen die hij zonder bezwaar kon leegeten. Wat moet die bij de paus? Wat moet hij met die brieven, en wat weet Marco di Rosso daarvan? Als de tekst maar begrijpelijker was... Lapo kijkt opnieuw naar Ubaldo. Deze keer is er geen ontkomen aan. Hij wikt en weegt, en vraagt ten slotte: 'Kon de heilige Petrus eigenlijk schrijven?'

'Natuurlijk, wat denk je! Een toekomstige paus! Je hoorde dat trouwens te weten. Er staan twee brieven van hem in de Heilige Schrift.'

'Dus hij kende Latijn...? Een simpele visser...?'

'Hij kende alle talen. Ben je het wonder van Pinksteren vergeten?'

'Dat gaat over talen spréken. Maar schríjven...?'

'Onzin. Iedereen kan schrijven als de Heilige Geest zijn hand vasthoudt. Die Petrusbrieven behoren tot de Goddelijke Openbaring, beste Lapo, vergeet dat niet. Volgens de geleerden heeft Petrus er trouwens meer geschreven dan twee, maar die zijn verloren gegaan.'

Aha! Lapo's voorhoofd vertoont diepe rimpels.

'Stel dat die andere brieven nou nog eens werden teruggevonden. Hoorden die dan ook meteen tot de Goddelijke Openbaring, of kan daar niets meer bij?'

De vraag schijnt de magister te irriteren. Snibbig zegt hij: 'Zou je dergelijke zaken maar niet aan de Heilige Vader overlaten? Bid jij nu je voorgeschreven onzevaders maar liever...'

Ubaldo moet nodig ergens 'vergeten' worden, net als Clemens Amordivino; maar zolang dat niet lukt kan zijn informatie van nut zijn. Het gaat Marco di Rosso vast niet om brieven die al in duizenden bijbels staan – wat hebben die voor handelswaarde? Zou hij zijn broer niet opmerkzaam maken op ónbekende brieven, waarmee een gardiaan zich naar de paus begeeft om te horen of ze echt zijn? Dat juist een franciscaan daar de hand op heeft weten te leggen is begrijpelijk: het is Lapo's orde die in het Heilige Land waar Petrus woonde (en schreef) sinds vele jaren een missieprovincie heeft. Lapo besluit dat het dan inderdaad wel om een gardiaan uit Florence zal gaan, die over een dergelijke vondst zijn mond niet kon houden. Maar dat Marco daar zijn broer over inlicht voorspelt weinig goeds. Grote kooplieden staan voor niets als het om kostbare artikelen gaat. Wel, in dat geval heeft Marco buiten een oude vlieg gerekend die nog aardig ruiken kan.

Al met al reden genoeg om nog eens ernstig te kijken naar het duistere trio hoger op dezelfde bladzij: de Umbriër, de Haan en mevrouw Ginevra.

Ondertussen verloopt de reis nog steeds niet volgens plan. Het regent in Noord-Italië, de wegen zijn moddergeulen; en dat er niets te beleven valt kan niet worden volgehouden: het is er even onrustig als in Toscane. Om schermutselingen te vermijden moet meer naar het westen worden uitgeweken dan de bedoeling was; tot ergernis van de kooplieden voor wie tijd geld is. Sommige lopen belangrijke afspraken mis op deze manier. Het schelden op het eeuwige stoken van Milaan is algemeen. De zwaarste klap komt bij de grens van de republiek Genua: daar wordt aan het gewapende escorte de toegang ontzegd.

Het gaat al jaren niet goed met Genua. Onophoudelijk ligt de stad met buren en concurrenten overhoop. Het laatste wat ze op haar grondgebied kan dulden is een stel Florentijnse militairen.

De konvooireizigers hokken samen in een morsige visserskroeg en overleggen wat hun te doen staat. Genua stelt eigen soldaten tot hun beschikking, maar welke Florentijn zou zich toevertrouwen aan Genuezen met wapens?! Trouwens, als er dan toch extra geld uitgegeven moet worden kunnen ze, nu ze eenmaal aan de kust zijn, beter een schip zoeken: voor Pisa behoeven ze, zo noordelijk, niet bang meer te wezen.

Niet voor Pisa, maar voor zeerovers! En voor stormen! Lapo kan het niet laten om te waarschuwen, ofschoon hem natuurlijk niets gevraagd wordt. Wat betaalde hij helemaal? Hij is een Goede Daad, meegenomen ter liefde Gods. Goede Daden moeten hun bek houden. Daarbij zijn de meeste kooplieden oude rotten, die de overtocht naar Marseille ettelijke keren gemaakt hebben. Het zal wel meevallen met de gevaren.

Lapo wil juist een akelig verhaal over een windhoos ophangen, als zijn oog valt op zijn medebroeder die in de regen, onder zijn potsierlijke scherm, soldaten staat te stichten. Hij ziet eruit als een Chinees. Lapo begint te lachen... en stokt dan. Waar is hij mee bezig, hij lijkt wel gek! Laten ze toch zee kiezen met hun allen en die kwezel meenemen: niet Ubaldo, hijzelf moet vergeten worden! Boot missen, over land gaan, wat is er eenvoudiger! Hij kijkt om zich heen. Inbinden is niet nodig, geen mens heeft naar zijn anti-zee-pleidooi geluisterd. Zelfs het bescheiden gezicht dat hij trekt wordt door de aanwezigen niet geregistreerd.

Maar het loopt anders. Broeder Ubaldo breekt zijn gesprek af en komt zo abrupt de gelagkamer binnenlopen dat de stilte al valt voor hij er met een armzwaai om gevraagd heeft.

'Mannen broeders, ontbloot uw hoofd! Naar mij zojuist bericht wordt heeft onze Heilige Vader paus Innocentius de Zesde omstreeks twee weken geleden dit aardse leven verlaten. Laat ons bidden voor zijn Eeuwige Rust.'

Is het ook waar? Wie volgt hem op? Wat betekent die machtswisseling voor mijn opdrachten? Komt broeder Jean misschien vrij? En hoe moet het met de gardiaan van de Petrusbrieven? Maar terwijl Lapo gedwee een serie Bid-voor-onzen meeprevelt voelt hij hoe zijn vragen vervagen in een wolk van opluchting. Hij beseft dat hij bang geweest is voor de 'franciscanenvreter'. Ja, ja, het Eeuwige Licht verlichte hem! Aan alle kanten! Mij en mijn broeders zal hij niet langer in donker zetten...

Ubaldo, even later, is bereid die mening te delen; maar tegelijk is hij bezorgd. De paus was een oude man. 'Jij weet dat niet zo,' zegt hij beschermend, 'maar daar is een voorspelling over. Als een hoogbejaarde paus zal sterven: dat is het ogenblik waarop de Antichrist verschijnt.'

Lapo grijpt zijn kans: 'Er zijn meer pausen hoogbejaard als ze sterven. De voorspelling stelt nog een tweede voorwaarde: tegelijk wordt er een Engelse prins gekroond.'

'Wat weet jíj daarvan?!' De stem van Ubaldo drukt onverholen afschuw uit. Een nul als deze dievenjager zou het beter weten dan hij?

Het gaat door Lapo heen dat de econoom in Bologna gelijk had: de magister is een parel. Hoe eerder hij voor de zwijnen geworpen wordt, hoe beter. Koeltjes verklaart de dievenjager dat de voorspellingen van Jean de Roquetaillade toevallig zijn lijflectuur vormen. Het treft goed dat hij zich hier en daar heeft laten voorlichten voor hij vertrok! Overigens is hij minder dan ooit van plan, Ubaldo bij deze opdracht te betrekken. Om aan zijn triomf nog een schepje toe te voegen declameert hij: 'Hoort toe, hoort toe! Nabij zijn de dagen van het grote wenen! De Antichrist zal opstaan, en sinds het begin der Schepping zijn er geen verwoestingen aangericht zo groot als...'

'Ja, ja, dat weet ik ook. Wacht maar af. Engeland ligt ver weg en berichten reizen langzaam. Het kan best waar zijn van die kroonprins...'

'Zo goed als het ónwaar kan zijn van de paus. Genuezen zijn beruchte leugenaars...'

Het ís waar. Lapo heeft zich die middag teruggetrokken in het binnenste van een hem welbekende herberg, waar hij met een kaars en wat was het zegel van Marco's jaarverslag vernuftig in zijn grendelfunctie herstelt. Voorbij Marco's geheimzinnige mededelingen is het geschrift opnieuw gevuld met kolommen, en ditmaal lijken ze werkelijk de boekhouding van het afgelopen jaar te bevatten. Als hij na gedane arbeid tevreden de gelagkamer betreedt, treft hij er de pauselijke koerier Matteo, een Bolognees die hij oppervlakkig kent. Op 12 september is de oude Innocentius overleden. De koerier is met het bericht op weg van Avignon naar Napels. De koningen van Napels zijn tevens graven van de Provence, en meer Frans georiënteerd dan Italiaans. De pausen hebben Avignon weliswaar van hen gekocht om op eigen terrein te kunnen resideren, maar de banden zijn steeds nog hecht. Napels behoort dan ook tot de eerste steden die over belangrijke gebeurtenissen te Avignon worden ingelicht. Aldus de Bolognees, en in feite verspreekt hij zich daarmee. Lapo kent hem als een paarden afjakkerende bliksemrijder. Hoe kan hij dan tien dagen na dato pas gevorderd zijn tot Genua, waar het nieuws ook al tot de bevolking is doorgedrongen? Is het niet eigenlijk de naam van Innocentius' opvolger die hij moet melden? Dat ontkent Matteo. Het conclaaf waarin de kardinalen een nieuwe paus moeten kiezen is nog niet beëindigd.

Een knecht is komen waarschuwen dat er een vers paard voor de koerier klaar staat, en de man zit al bijna in het zadel voor hij is uitgesproken. Lapo wuift hem uit en besluit dat Matteo loog. Belangrijk nieuws ontwikkelt de snelheid van de wind. Waarschijnlijk heeft het bericht ook Bologna en Florence intussen al bereikt, en is het de konvooireizigers alleen maar ontgaan omdat plaatselijke onlusten hen tot achterlijk binnenland hebben veroordeeld. Het moet met een andere opdracht zijn dat de koerier onderweg is. Maar zoveel lijkt duidelijk: een officiële opvolger is er nog niet. Dat betekent dat Lapo over zijn watervrees moet heen stappen. Geen periode is gunstiger voor het regelen van vertrouwelijke zaken dan een periode van sedisvacatio, van 'leegstaande troon'. Hoe eerder hij in Avignon is, hoe beter hij kan snuffelen.

Hij blijkt niet de enige reiziger te zijn die haast heeft. Als hij aan de haven zijn koetsgenoten treft lijkt het of ze voor het eerst goed wakker zijn. De grote kooplieden die de dienst uitmaken hebben juist een overeenkomst getroffen met de reder van de Sancta Martha uit Palma de Mallorca. Het schip zal bij zonsopgang uitvaren, bestemming Barcelona, en onderweg graan lossen in Marseille.

De wind is gunstig, en aan kapers of storm denkt niemand verder nog. Nergens valt zoveel geld te verdienen als bij troonopvolgingen! Het pauspaleis – en dat is me een paleis – zal stellig worden opgeknapt, en iedereen zal de nieuwe heerser geschenken willen aanbieden. Roeiboten met bagage varen al af en aan tussen wal en schip. De stemming is feestelijk: áls er gerouwd wordt om de ontslapene, dan hoogstens inwendig. Als Innocentius nou een Italiaan geweest was! Maar tegenwoordig zijn het iedere keer Fransen die de stoel van Sint-Pieter op klauteren.

Tenzij ditmaal een Napolitaan aan slag is...? Lapo heeft zijn bevindingen aan magister Ubaldo voorgelegd, en die hoeft maar een greep in zijn kerkgeschiedenis te doen om een handzame oplossing van het raadsel voor den dag te halen. De keus van het conclaaf kan gevallen zijn op iemand die er niet bij aanwezig was. In dat geval moet worden afgewacht of de gekozene de benoeming aanvaardt. Best mogelijk dat hij zich juist in Napels bevindt. Daarom hoeft het nog geen Napolitaan te zijn: er verblijven regelmatig hoge pauselijke gezanten aan het hof. Meestal zijn het Fransen. Niettemin... beide minderbroeders zijn afkomstig uit de stad die in naam dan wel pausgezind is, maar voor wie de Opperherder in feite niet ver genoeg weg kan wonen. Het belet hun niet als Italianen te hopen op een Italiaanse paus, die het als zijn plicht zal zien terug te keren naar Rome.

Het vraagstuk heeft een tijdelijke verbroedering teweeggebracht: de twee gaan bijna vriendschappelijk uit elkaar. Ubaldo begeeft zich aan boord en neemt de reiszak van Lapo vast mee. Sterker nog: omdat er een dreigende lucht boven de stad hangt leent hij hem zijn regendak. Er is hem veel aan gelegen dat Lapo, die overal ter wereld bekenden heeft, bevestiging tracht te vinden voor hun Napelse theorie. Slecht weer mag het onderzoek niet in de weg staan!

De beste vraagbaak is uiteraard broeder Vis uit het plaatselijke franciscanenklooster. Broeder Vis is bijna even klein, rond en nieuwsgierig als Lapo Mosca zelf. Als hij niet zo'n smerig dialect sprak konden ze bloedeigen broers wezen. Het behoort tot zijn taken, op vasten- en onthoudingsdagen met de bedelzak bij de visafslag te staan. Hij neemt zijn opdracht ernstig en staat daar op die dagen van metten tot completen. Het zondige vissersvolk schuift weinig af, maar aan de haven valt veel te kijken. Geen schip dat afmeert of uitvaart ontgaat broeder Vis. Hij begint Lapo onmiddellijk en hoogst omstandig te waarschuwen voor de Sancta Martha uit Mallorca: een stokoud, lekkend loeder met loeders van schepelingen. Lapo knoopt de mededeling bezorgd in zijn oren, maar het is hem allereerst om andere inlichtingen te doen. Een schip uit Marseille met bestemming Napels en een hoge prelaat aan boord? Broeder Vis verzinkt in diep nadenken, en vraagt ten slotte aarzelend: 'Toch niet messer Arnaud de Cervole...?'

'Ik weet nog niet hoe hij heet... maar ho, nee, Arnaud de Cervole, is dat niet de aanvoerder van die beruchte Franse huurlingenbende, hoe heten ze...'

'De Compagnie van de Laatkomers. Helletuig.'

'Juist. Maar waar ik naar vroeg was een prélaat, geen píraat.'

'Messer Arnaud ís prelaat. Aartspriester van de een of andere Franse kathedraal. Dat gaat heel goed samen, wist je dat niet? Moorden, roven, martelen, en als straks de hemelpoort voor zijn neus wordt dichtgegooid trapt-ie-em gewoon in. Dat is-ie zo gewend.'

'Dat zal 'm dan tegenvallen. Maar die zoek ik dus niet.'

'Nou, dan weet ik het niet. Of je moest die benedictijnerabt uit Marseille bedoelen, maar dat heb ik alleen van horen zeggen. Dat schip is hier een week of zes terug binnen gelopen, en het heeft hier twee dagen gelegen, maar die monnik heeft zich nooit aan dek vertoond. Eeuwig aan het bidden, zeien die matrozen, niks aan te beleven. En vrijgevig was hij ook niet.'

Lapo Mosca zoekt zijn weg door de armere buurten van Genua. Hoeveel benedictijnerabdijen telt Marseille? Hij weet er maar een, de Sint-Victor, en die is enorm, een vesting gelijk. Wie daar als abt fungeert is niet minder dan een vorst. Best iemand om met een vertrouwelijke opdracht naar Napels te reizen. Best iemand om paus te worden. Iemand met verstand van Petrusbrieven...? Met waardering voor minderbroeders...? Met een glimlach voor halfgekke onheilsprofeten...? Erg lacherig zijn benedictijnen bij Lapo's weten niet. Voor een paus die naar Rome moet terugkeren is dat ook maar goed: daar valt niets te lachen. Lapo is er nog niet zo lang geleden geweest. Een puinhoop vol moord en doodslag. Die abt – als het die abt is – zou feitelijk wel gek wezen.

De straten worden stegen, de huizen krotten, en nog heeft Lapo de tweede connectie niet gevonden, waarover hij in Genua beschikt. Sinds hun laatste ontmoeting is Pier Beccone van het ene louche adres naar het andere getrokken. Het schemert als Lapo ten slotte op een armelijk winkeltje wordt gewezen. Het is in hoofdzaak gevuld met spullen waar de gesmokkelde dan wel geheelde herkomst van afstraalt. Er zijn nogal wat muziekinstrumenten bij. Pier Beccone is zo verzot op zoete melodieën dat hij zijn handen moeilijk kan thuishouden als hij een luit of een vedel ziet. Uit die muziekliefde is de relatie met Lapo zelfs opgebloeid. Ooit heeft hij Lapo zijn vedel ontstolen, en eerlijk teruggegeven in ruil voor een gastoptreden bij het huwelijk van zijn dochter. Sindsdien bestaat er een vriendschap tussen hen van het soort waar Lapo een hele collectie van heeft verzameld. Ze bestaat voornamelijk uit het uitwisselen van nuttige maar niet noodzakelijk legale tips. Pier Beccone beroemt er zich op burgerrechten in Genua te bezitten; maar te oordelen naar de gaten in zijn Italiaans heeft zijn wieg – als ooit een wieg zijn deel was – op Frans taalgebied gestaan. Omzichtig pendelverkeer tussen beide landen heeft in zijn levensbehoeften voorzien, vaak rakelings langs galg en brandmerk.

Lapo staat met enige vertedering naar een aantal luiten te kijken als de winkelier, door een knechtje gewaarschuwd, uit een belendend pand komt snellen onder het uiten van vreugdekreten. Hij draagt een grote kokarde en een nog grotere drankkegel, want het is feest. Zijn kleindochter is getrouwd vandaag, jawel, de dochter van de dochter van toen, maar die is al lang in de hemel. Nog terwijl hij struikelt over zijn slechte Italiaans haakt hij een vedel van de muur, om haar vervolgens smekend aan zijn bezoeker voor te houden. De bruiloftsmuzikant van de wijk heeft gisteren zijn rechterhand op het blok moeten achterlaten, en zijn leerling kan er niets van. Lapo moet naar zijn boot, en het vedelspelen heeft hij verleerd, maar zijn weigering verschrompelt tot wat gesputter. Het blijkt dat zijn gastheer zonder tegenprestatie niet bereid is de informatie die Lapo nodig heeft, uit zijn halfzatte geheugen op te diepen. Gelaten begint de oud-speelman de snaren te stemmen. Zijn spel is niet veel zaaks meer, maar te oordelen naar het gejoel uit het buurhuis is zijn publiek dat evenmin. Dat zal alle moeite hebben om op de waggelende dansbenen te blijven. De betere bruiloften van Genua duren vier dagen. Wie op de mindere wordt uitgenodigd moet zien dat hij in één dag aan zijn trekken komt.

Het is van Pier Beccone dat Lapo iets hoopt te vernemen over de wijze waarop handelaren in zijde en brokaat hun nevennegotie – zeg wapens – naar Frankrijk exporteren. De bruidsgrootvader heeft enige moeite om te begrijpen wat daar interessant aan zou zijn. Export van wapens is niet verboden en er valt een massa aan te verdienen vandaag. In Frankrijk vechten ze als gekken, en alle partijen willen wapens uit Milaan, want dat zijn de beste. Grote handelshuizen plaatsen daar regelmatig bestellingen. Ook Florentijnen? Juist Florentijnen, want die bewapenen bovendien zichzelf. Ze voelen zich immers niet langer veilig in Avignon.

Dat is nieuws. Niet langer veilig? Hoezo niet langer veilig?

'Vreemdelingen. Hoe meer d'r komen en hoe meer ze verdienen, des te onveiliger het voor ze wordt... Zou ík hier veilig zijn als het me goed ging? Zijn de joden ooit ergens veilig? In Avignon bestaat tegenwoordig een complete anti-Florentijnse partij. Toscanen de Rhône in, luidt het parool. Galli, noemen ze zich.'

'Hanen! Daar wou ik je juist naar vragen.'

'Niet hanen! Galliërs, betekent dat bij hen. Maar je gaat er toch heen? Dan kom je er gauw genoeg achter.'

Zoveel wat betreft het eerste vraagstuk in Marco's jaarverslag. Met het tweede, de 'Umbriër', weet ook Pier Beccone geen raad. En het derde, Monna Ginevra, ontlokt hem een medelijdende grijns.

'Altijd nog dromen over verleidelijke dames, hè? Als je 't mij vraagt heeft die schrijver van je het helemaal niet over een vrouwmens. Het zal gaan om de Mont Ginèvre. Dat is een bergpas tussen Savoie en de Dauphiné. Een grenspost.'

Altijd nog dromen... jawel, Lapo is lichtelijk teleurgesteld door de prozaïsche oplossing. Wat moet een bergpas in een jaarverslag?

'Misschien gewoon een routeaanduiding. Een van de grote handelswegen loopt over de Ginèvre. Ik zou je nog blindelings kunnen wijzen hoe je de tolgaarders daar moet ontwijken... Maar als je meer wilt weten: waarom neem je zelf de Ginèvre niet, als je naar Avignon gaat?'

'Omdat ik met de boot moet. M'n maat zit al op me te wachten. De Sancta Martha uit Palma. Zeilt bij zonsopgang.'

'Dat cavalje! Slaat bij de eerste storm uit elkaar. En weet je dat er vorige week nog een schip geënterd is vlak voor de kust? Door Sardijnen, zeggen ze.'

Lapo herkent zo duidelijk zijn eigen ontmoedigingspogingen, en begrijpt zo duidelijk dat Pier Beccone zijn vedelaar wil vasthouden, dat hij begint te lachen.

'Zolang het geen Algerijnen zijn! Sardijnen zijn christenen, die doen een minderbroeder niks.'

'O nee? Behalve als ze een appeltje met een zekere minderbroeder te schillen hebben. Blijkbaar ben jij Vasco Senzabarba vergeten...'

'Die is al tien jaar dood...', maar de naam veegt als een natte spons de glimlach van Lapo's gezicht.

'Dood, ja. Omdat jíj hem erbij gelapt hebt. Hij heeft een stuk of zes zoons in het piratenvak. En tjonge, wat zijn die Sardijnen toch dol op bloedwraak!'

Lapo Mosca gaat van schrik op een bank zitten. Vasco Senzabarba! Onder de handvol misdadigers van wie de wereld door zijn toedoen werd verlost, was deze Vasco zonder twijfel de gevaarlijkste, de wreedste, de sluwste. Barabbas, noemden ze hem in de rechtszaal. Het was Lapo die toevallig ontdekte waar hij zich schuilhield. Nee, de familie zal het niet vergeten zijn...

'Luister nou. Morgen of overmorgen vertrekken makkers van me om zich aan te sluiten bij een wapentransport dat over de Ginèvre gaat. M'n eigen nieuwbakken schoon-kleinzoon is erbij. Ik regel dat je mee kunt. Goed? En als je nóú niet mee komt is de bruid ondertussen van mijn achterkleinkind bevallen.'

Inderdaad, dat moment kan niet zo ver weg zijn. De bruid, klein en spits, doet denken aan een vermakelijk uitgedost twaalflitervaatje. Wie van de beschonken manspersonen de bruidegom en aanstaande vader is, laat zich niet dadelijk vaststellen; zo te zien is er niemand bij met wie Lapo zijn vriend echt hartelijk kan feliciteren. 'Evengoed,' meent een tandeloze vrouw die de speelman te drinken geeft, 'evengoed mag die griet van geluk spreken. Niet mooi, geen bruidsschat, je vraagt je af hoe Pier Beccone het voor elkaar gekregen heeft. Niet ieder beest dat naar de markt gevoerd wordt vindt een koper.'

Van geluk spreken: laat ze dat deze avond tenminste mogen doen. Te oordelen naar de gemelijk dichtgeknepen lippen is dat niet bepaald waar ze mee bezig is. Lapo Mosca geeft een dans ten beste – erg best is het niet – en nog een – die gaat al beter. Hij zoekt zijn geheugen af naar bruikbare liedjes en grapjes, en er komt een rondeel naar boven waar de bruid haar voordeel mee zou kunnen doen als ze luisterde...

De mensen beweren: de liefde is blind.
Kijk uit! haar ogen gaan open.
  De liefde is een katje: het krabt... of het spint
en pasgeboren alleen is het blind.
  Vertroetel je liefde! Houd haar te vrind!
  Belet haar om weg te lopen!
Want mensen beweren wel: liefde is blind,
maar kijk! Eén oog is al open...

Van de rest van het feest zal Lapo zich alleen herinneren dat Ligurische wijn bij flink doordrinken meevalt.

'...en uit de aarde kruipen wormen, zo geweldig dat ze leeuwen en beren zullen verslinden. Ja, ook grote vogels verslinden ze, want de aarde zal opstaan tegen de lucht en het lagere keert zich tegen het hogere. Opstand en oorlog zal er zijn, en langs de wegen zwerven meer bandieten en moordenaars dan ooit tevoren. Zo spreekt het orakel van de monnik Cyrillus.'

'Cyrillus?' herhaalt Lapo Mosca ongerust, 'welke Cyrillus dan? Toch niet de heilige?'

'Als uitkomt wat-ie zegt zal het de heilige wel zijn. Als het niet uitkomt is-ie een bedrieger.' De gastenbroeder blijft er sereen bij. 'In elk geval zijn er geleerderiken, zelfs hier in het klooster, die Cyrillus hoger aanslaan dan alle evangelisten bij elkaar. En die Roquetaillade waar jij naar vraagt, die kende dat hele orakel van buiten. Er staat geen voorspelling in of hij heeft hem tot in de puntjes verklaard. Alleen dat hij zelf door de Inquisitie gewurgd zou worden, dat heeft hij er niet uit gehaald.'

'Gewurgd...? Roquetaillade...? Dan kan ik wel naar huis gaan. Is dat zeker?'

'Nee hoor. Vergiftigd kan ook.'

Maar bij navraag blijkt geen enkel uiteinde zeker te zijn. De profeet is sinds jaren spoorloos, en een spoorloze gevangene, waar denkt een mens dan aan? Gedachten die rondgaan heten geruchten. Voor je 't weet zijn het berichten. Lapo besluit dat een vals bericht over broeder Jean beter is dan helemaal geen bericht: hier heeft men tenminste van hem gehoord.

Het konvooi waar Pier Beccone Lapo bij introduceerde is die middag over de pas in het graafschap Dauphiné gekomen, dat een jaar of wat terug door de Franse kroon is aangekocht. De manschappen hadden willen passagieren in het stadje Brigantium – Briançon, zeggen ze hier – maar de konvooileider was er in een bocht omheen getrokken. De bezetting, zei hij, deugde er niet. Van hier tot Avignon deugde ze trouwens nergens. Brigands! Voor veel mensen is een 'brigand' al geen soldaat meer, maar een struikrover, zei de konvooileider. 'Mijn mannen lusten ze, daar niet van, dat zijn zelf net zulke lieverds. Maar daarom moet ik ze goed in de hand houden. Jawel, de weg lijkt gemakkelijk. Zolang de Durance zich koest houdt tenminste. Straks brengt ze ons vanzelf bij de Rhône, en dan zijn we waar we wezen moeten. Maar een gemakkelijke weg is niet enkel een voordeel. Ook het rapalje houdt van goed zicht en handige schuilplaatsen.'

Aan die woorden moet Lapo denken nu de gastenbroeder van het eerste Franse kloostertje dat hem onderdak verschaft, een grimmige voorspelling over bandieten uit de ampele mouw schudt.

Een week tevoren was hij op de kade van Genua aan komen hijgen, net bijtijds om de Sancta Martha in het prille licht achter de horizon te zien verdwijnen. Hij had zichzelf de les staan lezen. Een béétje held had de kans op een ontmoeting met de zonen van Vasco Senzabarba getrotseerd. Op zijn minst had hij Ubaldo dienen te waarschuwen. Volgens zijn opdracht had hij bij het konvooi moeten blijven. Pas toen hij bemerkte dat hij, al verwijtende, stond te fluiten, draaide hij zich om en ging hij terug naar Beccone en het uitslapen van zijn roes.

Een paar dagen later was hij naar het noorden getrokken, te midden van zwaar beladen pakezels en een stel rabauwen. De landen door van de 'groene graaf' van Savooie, op bergen af die schuilgingen in mist. Het weer was slecht, Ubaldo's afdakje een uitkomst; soms liet hij er ook de kop van zijn ezel een poosje van profiteren. De groene graaf, een eeuwig vechtende landgapper, had onmiddellijk geprobeerd de hele wapenlading op te kopen; gelukkig verdiende hij te veel aan de reputatie van zijn rijk als doorvoerland om handtastelijk te worden toen zijn voorstel werd afgewezen. Je hebt transportfirma's, zei de konvooileider braaf, die te vinden zijn voor zulke tussentijdse transacties en hun opdrachtgevers laten stikken. Hij niet! – ook al omdat de verzekeringskosten op hem verhaald zouden kunnen worden, bleek later, en die waren deze keer bijzonder hoog. De geadresseerde zat kennelijk dringend om de wapens verlegen.

Op de Ginèvrepas, waar het sneeuwde, manoeuvreerde Lapo

zijn ezel dicht genoeg bij de tolgaarders om op te vangen wie die geadresseerde dan wel was. Het bleek Filippo te zijn, jongere broer en filiaalhouder van Marco di Rosso, in zijde en brokaat. Vermoedelijk waren dus in de balen stro waar de pakezels onder zwoegden artikelen verpakt van de soort die hij in het 'jaarverslag' had trachten te ontcijferen; hij keek ernaar met de priemende blik van de tovenaar die door de muur kan zien. Uiteraard was dit niet de zending die door het verslag werd aangekondigd. Wat was die Filippo aan het opbouwen, een compleet arsenaal? De anti-Florentijnse 'Galli' waren kennelijk bedreigend.

Ook voor de zending die nog komen moest was blijkbaar de route over de Ginèvre vastgesteld: een andere reden voor de vermelding van de pas in het verslag heeft Lapo niet kunnen ontdekken. Van de geheimzinnige Monna Ginevra heeft niemand ooit gehoord. Ze bestaat niet. Lapo neemt definitief afscheid van haar als ook de gastenbroeder vrolijk begint te lachen.

'Monna Ginevra! Dat zou een taaie tante wezen! Dagelijks krijgt ze dozijnen kerels over zich heen!'

Ook goed. Het enige wat Lapo in het jaarverslag interesseert zijn de Petrusbrieven. Als Monna Ginevra niet bestaat kan ze die in ieder geval niet stelen. De ware toedracht van de zaak is alleen te vinden in het geschrift van Marco di Rosso; maar dat geschrift dobbert op zee, in Lapo's reiszak en onder de hoede van Ubaldo. Hij besluit de zaak uit zijn hoofd te zetten.

Uit gesprekken met de konvooileider begrijpt hij overigens dat wapenleveranties aan de orde van de dag zijn. Nergens valt méér aan te verdienen. Is er niet overal oorlog? Loerden er niet in Savooie al krijgslieden op het transport? Van nu af zullen het zelfs koningen zijn, vandaag van Frankrijk, morgen van Engeland, die grof geld overhebben voor deze lading. De baronnen waar ze langs moeten staan in de rij, of ze nu mekaar te lijf willen of bang zijn voor de 'Tard-Venus' van Arnaud de Cervole. Nooit, zegt de konvooileider, heeft hij betere tijden gekend. Met Gods hulp mag de oorlog jaren duren, amen! Waarom zou hij dat niet mogen wensen? Verdienen niet hele steden hun brood aan het vervaardigen van wapens? En als het nu minderwaardig spul was dat hij vervoerde, zeker, dát zou hij, als eerlijk christenmens, op zijn geweten moeten trekken; maar wat hij importeert is uitsluitend eerste kwaliteit. Wat ze in Milaan maken vind je in Frankrijk nergens, ja, hij durft rustig zeggen: dat wordt nooit overtroffen. Al helemaal niet door dat nieuwerwetse spul dat met vuur en ontploffingen werkt. Onlangs is het uitgeprobeerd tijdens een veldslag tegen de Engelsen. Onbruikbaar. Die ijzeren bakbeesten zijn veel te log, dat ontploffingsgoedje is te moeilijk te maken en daardoor te duur, kortom: dat wordt nooit wat. Daar is Lapo het direct mee eens, ofschoon hij van deze nieuwe wapens nooit gehoord heeft: als ze 'wat werden' zou Marco di Rosso ze zonder twijfel leveren!

Dat er binnen de muren van Avignon spanningen zouden bestaan tussen verschillende bevolkingsgroepen: toen Pier Beccone het hem vertelde heeft Lapo het niet echt willen geloven. Naarmate ze nu, met de rivier mee, dieper de bewoonde wereld in komen, klinkt het steeds minder onwaarschijnlijk. Ook hier, in de hoge Provence, is de stemming grimmiger en agressiever dan hij de laatste jaren in zijn eigen land heeft meegemaakt. De 'Tard-Venus' hebben hun strooptochten het afgelopen voorjaar verder uitgestrekt dan ooit tevoren, en goed voorbeeld doet goed volgen. Sinds de reuzen Frankrijk en Engeland slaags zijn geraakt, liggen ook steden en buursteden, kloosters en buurkloosters met elkaar overhoop. Het konvooi komt burgers tegen die in triomf de lastdieren van een rivaaldorp meevoeren, beladen met vruchten en zoute vis. Een dag later zien ze koeien wegdrijven en vinden ze gedode herders verderop. De konvooileider ontkent dat het steeds de heren zijn die hun pachters tot geweld aanzetten: ook tussen boeren onderling zijn de redenen tot ruzie eindeloos. Hij wijst Lapo op poelen: het bekken is van de een, het water van de ander; op boomgaarden: de grond is van de een, de vruchtbomen van de ander. Zoek maar eens uit, als baljuw of controleur, aan welke kant het gelijk ligt. 'Jij,' zegt de konvooileider, 'lijkt me een monnik die niks bezit, maar zo vind je ze bij ons niet, hoor, ook niet van jouw orde. En wat er in die grote abdijen huist die je hier en daar ziet liggen: dat volk is zelf niet te verheven om mekaar uit te schudden. Ze halen kerkevee en kerkepaarden bij elkaar weg, en altaarzilver en heilige boeken. Waarom zou je je daarover verbazen? Jíj bent gezellig bij de weg, maar die jongens in hun cellen vervelen zich dood. Een beetje plunderen is weer eens wat anders. Ze mores leren? Wie zou dat moeten doen? De troepen van de paus? Man, die gaan zelf op strooptocht als ze een vrije dag hebben...

Lapo's ezel heet Ciuco, en hij sjokt. Zo brengt hij Lapo, als die is uitgepraat met de konvooileider, vanzelf waar ze beiden het liefste zijn: achter aan de achterhoede. Niet te ver achter: zelfs Lapo de vrijbuiter heeft begrepen dat alleen reizen niet raadzaam is; maar wel zo ver dat het gezwets van de ezeldrijvers onverstaanbaar wordt. De stem van Beccones schoon-kleinzoon blaaskaakt boven alles uit. Ze herinnert Lapo aan de bruiloft in Genua; aan de rondelen die hij er zong; aan de rondelen die hij er níét zong omdat ze te kostbaar waren: rondelen voor Madonna Maria.

Maria! Hele dagen heeft hij haar vergeten. Hij zendt zijn gedachten naar haar uit, hoofse, poëtische gedachten, ijlings, als postduiven; maar ze hebben een neiging om uit de koers te raken. Waar ligt het aan, heeft hij te veel aan zijn hoofd? Is hij jaloerser op de mooie neef dan hij dacht...? Hij had niet met haar moeten praten, daar in de sacristie: dát is het. Illusies dienen illusies te blijven. Aarzelend tast zijn tong de holte af waar een kies is getrokken.

Die troubadours van vroeger, hoe legden die het aan? Volhardden ze nog als tandeloze gijsaards in het gesmacht van scholieren? Bezongen ze de lelieblanke onbereikbaarheid tot op hun sterfbed? Als Petrarca's Laura niet door de Zwarte Dood was weggerukt, zouden de verheven sonnetten dan nog op de dag van vandaag uit de verheven pen vloeien?

Wat messer Petrarca zoal over het hof in Avignon te melden had is overigens ook niet mis... Weg zijn de postduiven weer. Daarstraks werd aan Lapo bevestigd: er is nog steeds geen nieuwe paus. Bijna gretig richt zijn aandacht zich op hier-en-nu; of op hier-en-gisteren, want vaak moet hij denken aan wijlen Innocentius. Met een mengsel van opluchting en deernis: zo kan men over een arend denken die veilig gevangen zit.

God hebbe zijn ziel, heeft hij in Genua met de anderen meegebeden; maar zou God veel prijs stellen op de ziel van iemand die heilige minderbroeders vervolgde? Tenminste twee zijn er levend verbrand, en hoevelen zuchten er niet in kerkers of zijn 'spoorloos' zoals Roquetaillade? Volgens een Zweedse zieneres die in Rome woont is Innocentius' lot weinig benijdenswaardig. Ze is een koningsdochter, dus allicht ziet ze scherper dan gewone stervelingen. Erger dan een woekeraar heeft ze deze paus genoemd, verraderlijker dan Judas, wreder dan Pilatus. Schapen heeft hij verslonden, herders onthoofd. Als een zware steen zal de Heer hem in de afgrond slingeren... Het zal je gebeuren. Arme Innocentius. Vooruit dan toch maar: God hebbe zijn ziel.

Van de laatste paus naar de eerste is het maar een stap. Hoe Lapo het ook aanlegt, steeds komt hij weer bij de Petrusbrieven terecht. Het zou hem een geweldig plezier doen als er iets opzienbarends in zou staan. Hij kan er uren over speculeren wat dat dan zou moeten zijn. Er wordt zoveel over Petrus verteld dat om een aanvulling vraagt. De wonderbare visvangst, bij voorbeeld: wat moesten ze opeens met al die beesten in een dun bevolkt gebied? Zouden ze het grootste deel maar niet terug in het water gegooid hebben, met dank aan de Heer voor het stichtende symbool? Was de Heer niet tevens de Schepper van levenslustige vissen? En dan dat lopen over water dat Petrus deed! Daar heeft Lapo zijn eigen idee over sinds hij het Heilige Land bezocht heeft, en dat zou hij dolgraag bevestigd zien. In het meer van Galilea verdrinkt een mens onherroepelijk, maar voor lopen over de Dode Zee is maar een klein additioneel wondertje nodig: daar is verdrinken moeilijker dan blijven drijven omdat het water zo zout is. De Heilige Geest zal het zeker goed gedicteerd hebben, maar evangelisten hebben feilbare mensenoren. Wat wijsneus Ubaldo ook over Openbaring zeggen mag: Mattheüs heeft het verkeerde meer opgeschreven.

Lapo eindigt gewoonlijk met het weer vernietigen van zijn reconstructies. Het kan geen toeval zijn dat de Petrusbrieven juist nu voor den dag komen. Ze moeten een boodschap bevatten, speciaal bestemd voor deze tijd. Maar hoe zou een Niemand, een Lapo, zoon van Lapo de rietvlechter uit de krottenwijk van Lucca – hoe zou die een dergelijke wereldomvattende boodschap ook maar kunnen vermoeden? De brief moet zijn voorstellingsvermogen ver te buiten gaan: wat híj verzint is een spel, en dat weet hij. Maar één ding is tamelijk zeker: welke de inhoud ook is, wijlen Innocentius was er niet blij mee. Anders had hij de kostbare documenten immers al lang vrijgegeven! Waarmee hij weer terug is bij de gevreesde franciscanenvreter.

Bij een volgende overnachting helpt een medegast hem ongewild aan een wat positievere kijk op de overleden paus. Hij hoort tot de lagere geestelijkheid en blijkt Innocentius niet te hebben kunnen uitstaan. Omdat Lapo deze man binnen tien minuten evenmin kan uitstaan, heffen de twee antipathieën elkaar mooi op.

De clericus heeft een oom gehad, dát was pas een Dienaar Gods: ontwikkeld, elegant, een Grand Seigneur. En een diplomaat: zeven prebenden had hij zich weten te verwerven...

'Prebenden?' Lapo vraagt niet zo maar naar de bekende weg. Er ontwaakt een aangename strijdlust in hem: zijn Franciscus wilde van dat soort dingen niets weten.

'Salarissen,' verduidelijkt de clericus, al wat korzelig.

'Ah! Dus uw oom had zeven banen. Dat was ploeteren! Wat deed hij zoal?'

'Dééd hij? Voor een prebende hoeft een mens toch niets te dóén?'

'Niet? Dan zijn het ook geen salarissen. Dan was uw oom een uitkeringsgerechtigde. En dat zevenvoudig!'

'Waarom niet? Zeven jaargelden. De vorige paus had ze hem toegewezen. Hij was verbonden aan zeven verschillende kerken. Af en toe moest hij zich daar melden om de prebende te incasseren. Voor zover hij geen rentmeester kon sturen, want dat reizen was natuurlijk heel bezwaarlijk.'

'Was hij misschien ziek of zo? Dat hij daarom niet kon werken?'

'Wat zeur je toch over werken! Mensen als mijn oom hebben wel wat anders te doen!' De irritatie van de clericus wordt vooral gewekt omdat wijlen Innocentius, zo blijkt, niet heel anders over prebenden dacht dan die lomperd hier, zij het dan op pauselijk niveau. Het verhaal komt erop neer dat de oom, toen hij Innocentius edelmoedig om een prebende voor deze neef kwam vragen, genoodzaakt werd om daar een van zijn eigen zevental voor af te staan. En niet alleen dat: ook van de resterende zes werd hem de helft afgenomen, zodat hij zijn levensavond moest slijten in bittere armoede. Zelfs verschillende landgoederen had hij moeten verkopen! Eigenlijk een zegen voor hem, zegt de clericus, dat hij vorig jaar de pest kreeg.

'En die ene prebende van u?'

'Daar ben ik net naar wezen kijken. Lag hier in de buurt. Maar de Tard-Venus zijn langs geweest en ze lieten geen steen van m'n kerk op de andere. Naar m'n geld kan ik fluiten. Waar ik nu van moet leven weet ik niet.'

'Probeer het met het franciscaanse recept,' raadt Lapo vrolijk. 'Niets hebben maar alles bezitten.'

Maar dan komt de dorpspastoor in het geweer die hun gastheer is.

'Niets hebben maar alles jatten!' roept hij driftig. 'Alles bedelen, alles aftroggelen, alles bij elkaar smoezen. Praat me niet van jullie volk! Pas nog, tijdens een uitvaart, hier in mijn eigen kerk, wat denk je dat twee van jouw broeders gedaan hebben? M'n koster hebben ze afgerost om de opbrengst van de rouwkaarsen. Vechten in de kerk om een grijpstuiver! Minderbroeders! Praat me d'r niet van! Hangen de beest uit, sodemieteren bij het leven. Hun klooster in L'Isle sur la Sorgue... Innocentius was ook míjn lievelingspaus niet, maar dat hij die troep van jou op z'n nummer zette: hulde!'

'Móói van u dat u me toch hebt binnengelaten!' Lapo's stem

klinkt opgewekt, maar hij is onthutst. Blijkbaar ligt dit plaatsje al volop in de invloedssfeer van Avignon, en heeft het franciscanenvreten er school gemaakt; maar er lopen heel wat rare zwervers rond in de grauwe pij met het witte koord, dat valt niet te ontkennen. Lapo vindt het voornamelijk sneu voor Franciscus, en hoopt maar dat die te hoog in de hemel zit om er veel nota van te nemen.

Overigens openbaart zich de invloedssfeer van Avignon nog op een andere manier. Als Lapo de volgende morgen gewoontegetrouw bij de bakker om een stuk brood vraagt wordt hem eerst gevraagd waar hij vandaan komt, en als hij antwoordt: Toscane, krijgt hij niets. Midden in de zoete Provence is hij tot dubbele zondebok geworden. Hij die bij zijn weten nooit kosters heeft afgerost, noch ook handel pleegt te drijven op z'n Toscaans! Of het niet genoeg is dat zijn eigen orde kwaad op hem is! Beteuterd blijft hij de achterhoede van het konvooi volgen. Ciuco voelt haarfijn aan welk tempo hij zich kan veroorloven: zo raken ze nog verder achterop dan gewoonlijk. Dat zou hem in gevaar kunnen brengen.

Het wordt zijn redding.

Die middag, als de voorhoede de poort van het stadje Apt al bereikt heeft, staat de schoon-kleinzoon van Beccone hem op te wachten bij een bocht, een mijl daarvoor. Hij grist naar de teugel en snauwt: 'Kom d'r af. Smeer 'm. Je wordt gezocht. Geef op die ezel...'

'Gezocht?? Man, dat kan niet. Geen mens kent me.'

'O nee? De minderbroeder die met het konvooi meereist moeten ze hebben.'

'Maar wie dan? Ik heb niks gedaan.'

'Ik weet niet wie. Soldaten, geen rovers. Schiet je nou op? Straks hangen ze je aan een boom en pikken ze onze lading in. Daar, ga dat weggetje in, daar moet ergens een klooster liggen...'

Voor de ander goed weet wat er gebeurt is hij van zijn rijdier gesleurd en heeft de schoon-kleinzoon zich in het zadel geworpen. Als Lapo niet zo verbluft was geweest had hij beseft getuige te zijn van een klein mirakel. Ciuco galoppeert.

Verbluft...? In paniek! Hoe ver is hij als een wilde buffel het struikgewas in gerend voor hij beseft dat dit niet de ware vluchtmethode is? Een spoor van gebroken takken en afgerukte blaren wijst als een pijl zijn richting uit. Hij snuift als een wild dier, Ubaldo's regendakje, dat hij in zijn verwarring heeft meegenomen, is door doornige takken aan flarden gescheurd.

Stilstaan. Luisteren. Niets horen dan een hamerend hart. Wachten. Van richting veranderen. Een voetpad vinden... en dan eindelijk kruipt ook zijn geest uit de maquis van de schrik naar het gebaande pad van de rede.

In zijn eerste opwelling heeft hij gedacht: Vasco Senzabarba!! Dat is onzin, weet hij nu. Als de schoon-kleinzoon het goed heeft overgebracht kennen zijn achtervolgers zijn naam helemaal niet: een minderbroeder die met het konvooi meereist. Aan die omschrijving beantwoordt hij pas sinds enkele dagen.

Wie zijn het, die hem zoeken? Wie heeft hem op reis gesignaleerd en is vooruitgereden om te waarschuwen? Van Genua af kan dat gebeurd zijn, maar Lapo's gedachten concentreren zich al spoedig op de Mont Ginèvre. Behalve de grenspost heeft hij er een wachthuisje gezien, en zich laten vertellen dat daar een koeriersdienst gevestigd is. Er zijn in Avignon kooplieden die zich per ijlbode laten waarschuwen wanneer een voor hen bestemd konvooi de pas gepasseerd is. Lapo heeft zelfs gedacht dat ook Marco di Rosso van die dienst gebruik wilde maken, en om die reden 'Monna Ginevra' een plaats gaf in zijn jaarverslag. Maar Marco's filiaalhouder Filippo kan het niet zijn die op hem loert: die weet niet eens dat hij in aantocht is. Hoe langer hij piekert, hoe onbegrijpelijker de aanslag wordt. De zijlijn naar Marco's jaarverslag brengt hem onvermijdelijk bij de figuur die 'Gallus' genoemd wordt en waarvoor gewaarschuwd wordt; maar die waarschuwing geldt toch niet voor hém, hij staat erbuiten. Geen sterveling weet dat hij Marco's mededelingen gelezen heeft en geïnteresseerd is in een geschrift van de heilige Petrus...

Lapo loopt door een leeg heuvelland in de vallende avond. Het beloofde klooster is nergens te vinden. Zo goed hij kan volgt hij de ondergaande zon: Avignon ligt in het westen. De geheimzinnige vijand heeft bijna zeker met Avignon te maken, maar dat heeft zijn opdracht ook. Een muis die gewillig op zijn val af trippelt... als zijn kop ernaar staat zal hij er eens een rondeel van maken.

Hij is niet echt bang meer: honger en vermoeidheid zijn sterker, en het ziet er niet naar uit dat daar wat aan gedaan kan worden. Het gebied lijkt uitgestorven. Bijna op de tast vindt hij wat miezerige druiventrossen in een verwaarloosde wijngaard. Van een dak boven zijn hoofd lijkt deze nacht geen sprake te zullen zijn. Een bed van dennenaalden en een dek van takken is ten slotte alles wat erop overschiet. Koud, hard, prikkelig. Hij slaapt als een blok.

Er is iets met zijn ogen. Hij gaat overeind zitten in het vroege licht, wrijft in die ogen, knippert, wrijft opnieuw. De wereld is oranje. Bodem, boomstammen, struiken, en ja hoor, ook stukken van zijn pij: alles vlamt. Alles is met een enorme verfkwast bestreken, alsof een reus het hellevuur wilde uitbeelden. Een paar stappen plaatsen hem tegenover een oranje rotswand. Ze vormt een halve cirkel: een groeve.

'Oker,' zegt een stem. De rotsen vormen een soort grot, en voor de grot ziet hij een man. 'Zit in de grond hier. Is een fortuin waard.'

Verbaasd bekijkt Lapo de spreker. Hij is klein, schriel, leeftijdloos, en als Lapo dichterbij komt treft hem de eigenaardige starre blik. Niets lacht er aan de man als hij vervolgt: 'Ik hoorde je komen vannacht. Je leek wel een wild zwijn. Goed volk lijkt vaak op wilde zwijnen. Wie slecht is, die sluipt.' Hij kijkt Lapo aan en verklaart: 'Daarstraks toen ik op jacht ging leek je ook wel een zwijn. Wat kan jij snurken.'

Zelfs de stem van de man is eigenaardig. Lapo zou serieus aan een aardgeest of een bosgeest denken, als hij niet zo'n honger had. Nu wordt zijn blik als door een magneet naar de mand getrokken die de man bij zich heeft.

'Heb je misschien iets te eten?'

De man slaat het deksel van de mand terug en reikt hem iets vaals, afstotelijks. Een dode lijster.

'Van vanmorgen vers. Voor het Michaelsfeest in Roussillon. Ik heb er nog een stuk of dertig nodig. Wie vogels wil vangen moet bij het eerste licht beginnen, dan zijn ze argeloos.'

'Hou maar: dan zijn het er nog maar negenentwintig.' Lapo kan er niet toe komen het treurige hoopje veren aan te pakken: alleen al het bungelende nekje is een remedie tegen de honger. Zijn kloosterregel verplicht hem te eten wat hem wordt voorgezet, maar daar zondert hij Franciscus' lievelingen de zangvogels toch bij voorkeur van uit. Of de 'bosgeest' zijn gedachten leest zegt hij: 'Goeie vakman, die Franciscus van jullie, maar een slechte zakenman. Hij hoefde maar met zijn vingers te knippen en alles wat vloog kwam om hem heen zitten. Profiteerde hij daarvan? Welnee: de sukkel ging tegen ze staan preken. Hij had ze zo kunnen grijpen en ze de nek omdraaien. Was een fortuin waard geweest. Had hij er niet bij hoeven lopen als een armoedzaaier...'

De man is opgestaan. Terwijl hij tegen Lapo praat spieden zijn ogen rusteloos de omgeving af. 'Ik heb dezelfde gave als jouw Franciscus,' verklaart hij. 'Vogels vertrouwen me. Alle dieren vertrouwen me. Maar ík maak er het gebruik van dat God bedoeld heeft toen hij ons die gave schonk. Wil je het zien? Kijk, daar zit er een.'

Met zijn mand aan de arm gaat hij Lapo voor, de groeve uit, in de richting van een vogeltje in een jeneverbesstruik. Het dier verroert zich niet en laat zich zonder verzet pakken, de oogjes star van angst.

'Het zijn míjn ogen waarmee ik ze vasthoud,' zegt de man, terwijl hij het lijkje in zijn mand laat verdwijnen. Dat kan Lapo begrijpen: de man heeft de ogen van een slang. Het stemt hem onbehaaglijk, vooral wanneer de ander, letterlijk in een handomdraai, nog vier of vijf zangertjes voorgoed tot zwijgen heeft gebracht. Opeens weet Lapo wie hem hier in de groeve verschenen is: geen Antichrist maar een Anti-Franciscus...

'De Vogelplukker noemen ze mij,' zegt de Anti-Franciscus, terwijl hij alweer twee slachtoffers aan zijn voorraad toevoegt. 'Nooit gehoord van Colas Cuelhauzelh? Dat ben ik. Ik pluk vogels zoals een ander appels. Ik ben jaren in dienst van de paus geweest. Hij was heel tevreden over me. Hij heeft me laten uitschilderen. Mocht je ooit in Avignon komen, dan moet je daar in het paleis maar eens naar vragen. Op een muur hebben ze me geschilderd, de muur van een slaapkamer. Let op hoe ik daar over de takken loop: even zeker als de vogels. Maar het is heel wat jaren geleden. Ondertussen ben ik een paar keer uit een boom gevallen. Vandaag zou het me zo goed niet meer lukken. Wat ik vandaag nodig heb,' zegt hij en kijkt Lapo aan met zijn slangeogen, 'is een leerling. Is er nou niemand bij jullie die een beetje naar Franciscus aardt? Samen zouden we een fortuin verdienen...'

Het fortuin zit de Vogelplukker hoog, te hoog kennelijk: hij kan er niet meer bij.

Een vluchtig medelijden belet Lapo niet, in opstand te komen.

'Wie naar Franciscus aardt, hóúdt van vogels. Jij trekt ze aan om ze te vermoorden. Jij leeft van het misbruik van vertrouwen dat je maakt.'

'Gebruik je hersens, broeder. Koeien vertrouwen hun baas. Mag hij ze daarom niet slachten?'

'Jij bent geen baas over de vogels. Hun Baas heeft een hoofdletter.'

'Ik ben veel meer dan hun baas. Ik ben hun broer. Ik begrijp ze. Ik versta ze. Ik ben zelf een halve vogel, voel je dat niet? Heb ik van mijn moeder. Die kan vliegen.'

'Op een bezemsteel dan zeker.'

'Niet noodzakelijk een bezemsteel. Een gewone stevige tak is haar net zo lief.'

Colas Cuelhauzelh: Anti-Franciscus en zoon van een heks! Lapo Mosca krijgt het er benauwd van. Hij wou dat het dorp maar kwam waar ze samen naar toe onderweg zijn. Naast hem loopt Colas te bluffen, harder naarmate hij meer kritiek voelt bij zijn compaan. Zijn macht over dieren is onbeperkt. Over álle dieren. Ook vissen, konijnen, lammeren, zelfs paarden. Zelfs mensen! Sommige mensen. Met zijn blik kan hij ze in tranen laten uitbarsten. Er is al eens van hem gezegd dat hij het boze oog heeft... Het zou Lapo niets verwonderen.

Roussillon. Colas gaat zijn buit bij de stadsoven afgeven, Lapo zet zijn tocht naar het westen voort. Hij heeft zich al een schrede of tien verwijderd als de vogelplukker hem naroept: 'Als je soms door Cabannes gaat, doe dan mijn moeder de groeten. Zeg haar dat ik naar huis kom zodra de vogeltrek voorbij is. Cabannes. Aan de Durance.'

Colas Cuelhauzelh blijft Lapo lang bezighouden terwijl hij voortloopt en kauwt op een korst die een boerin hem gegeven heeft. Hij hoopt de man nooit meer terug te zien. Tegelijk heeft hij het onbehaaglijke gevoel dat er een soort schaduw-Colas met hem meeloopt en niet van plan is van zijn zijde te wijken. De Anti-Franciscus...? Dan is ook de Antichrist niet ver weg...

Deze wereld is vol gemompel over de komst van de Antichrist, wie goed luistert hoort er zelfs de bomen over ritselen. Aan dat goede luisteren heeft Lapo Mosca, voor hij op reis ging, zich maar zelden bezondigd. Voorspellingen beschouwde hij als een onnodige belasting: de meeste stierven als rupsen in hun cocon. Kwam er een uit, dan kreeg die de aandacht vanzelf. De Komst van het Beest – wanneer, waar, in welke gedaante –, die velen, ook onder zijn medebroeders, dag en nacht bezighield, placht hij als thema van gesprek zo veel mogelijk te ontwijken. Gezond boerenverstand? Angst?

In elk geval: sinds hij belast is met de opsporing van onheilsprofeet nummer één, houdt dat waarmee hij zich niet bezig wou houden zich in toenemende mate bezig met hém. Merlin de tovenaar, de Eritrese Sybille, en Hildegardis, de zieneres uit Bingen: hun namen vallen dagelijks in gesprekken om hem heen en gaan niet langer aan hem voorbij. Drie slangen zullen de Maagd in de slaap bijten, weet hij nu bijvoorbeeld. Coluber, dat is de Duitse keizer; Aspis, dat is de dubbelgehoornde adder uit de Apocalyps; en Anguis, de zeeslang: dat is de ware Antichrist en hij komt uit Sicilië. Jaren zal zijn heerschappij duren, tientallen rampen richt hij aan en dat alles moet vervuld zijn voor Christus verschijnt op de wolken en met Zijn wederkomst het duizendjarige rijk begint. Is het wel zo vreemd allemaal? Zien we de aangekondigde pest en hongersnood en oorlog niet overal om ons heen? En komt daar nu als apocalyptische toegift ook nog een Anti-Franciscus bij?

In Lapo's orde wordt Franciscus, die de wonden van de Gekruisigde in zijn lichaam droeg, door velen beschouwd als de Tweede Christus. De verwachting is daarom dat ook hij eenmaal, evenals de eerste Christus, uit de doden zal verrijzen. Die opstanding laat op zich wachten: het is bijna honderd zesendertig jaar geleden dat de kleine heilige van Assisi overleed. Zij die geacht worden het te weten denken daarom geleidelijk meer in termen van een Wederkomst op de Wolken des Hemels, dicht in de nabijheid van Gods Zoon. Waar Lapo tot op heden nooit bij stilgestaan heeft, wat hem in de okergroeve als een openbaring duidelijk werd, is dat ook aan de wederkomst van Franciscus de komst van een Anti-Franciscus vooraf zal moeten gaan. Is het een uitverkiezing dat juist hij die figuur moest tegenkomen, of is het een straf? En wat moet hij doen met de ontmoeting? Verkondigen? Biechten? Hij ziet opnieuw de slangeogen, hoort de stem – die vreemde, klokkende stem als van een scharrelende kip – honend over dierenliefde die geen winst maakt. Hij besluit dat hij zich niet vergist.

Ondertussen schiet hij slecht op. Nog altijd ziet hij, als hij zich omdraait, de okerrotsen van Roussillon vlammen in de zon die nu hoog aan de hemel staat. De ontmoeting met Colas heeft de schrik van gisteren naar de achtergrond gedreven. Zijn gedachten keren terug naar zijn overhaaste vlucht terwijl hij zich een korte rust gunt. Niet zonder afkeer ziet hij het verband dat tussen beide gebeurtenissen zou kunnen bestaan. Was het soms de Voorzienigheid die hem van het pad af joeg omdat ze had vastgesteld dat hij, Lapo de nietswaardige, de Anti-Frans moest ontmoeten? Met schaamte erkent hij dat hij er niets tegen gehad zou hebben wanneer de Voorzienigheid dat voorrecht aan een ander had gegund. Dan had hij zijn tocht per ezel genoeglijk kunen voortzetten tot Avignon toe. Avignon! Een paus die het bestond om de Anti-Frans op de wand van zijn slaapkamer te laten uitschilderen! Hoevelen zijn er niet die fluisteren: de paus en niemand anders is de Antichrist...?

Op dat moment verschijnt een wagen, die hij al geruime tijd heeft horen horten en stoten, om de bocht. Het is een kleine reiskoets, zoals welgestelden erop na houden. De koetsier op de bok zit aan de teugels te rukken en met een zweep te zwaaien, zó zonder resultaat dat het komisch wordt: het fraaie muildier waartoe de aansporingen gericht zijn, neemt er niet de minste notitie van. Vlak voor Lapo's voeten blijft het staan en begint pesterig aan verschroeide grasresten te knabbelen. Hoog van de bok vraagt de koetsier half huilend:

'Broeder, kan jij dat rotbeest soms mennen?'

Met open mond kijkt Lapo omhoog: de koetsier is geen jongen maar een jonge vrouw. Van onder de kap kijken twee donkere ogen hem aan. Prachtige ogen, glanzend van tranen. Wie wijdt er op zo'n moment nog een gedachte aan de ezel Ciuco, die nooit verkoos te gehoorzamen? Ja, ja, bevestigt Lapo gretig, mennen kan hij als de beste. Naar Avignon zeker?

Niet naar Avignon, maar wel die kant uit. Ze hebben hun koetsier met de derdedaagse koorts moeten achterlaten in Roussillon, waar ze oker hebben ingekocht. Zonder die tegenslag zouden ze gisteren al op hun bestemming zijn aangekomen, maar op deze manier lukt het ook vandaag niet; en morgen kunnen ze niet rijden, want morgen is het zaterdag. Het meisje klimt van de bok terwijl ze die uitleg geeft, en als de capuchon van haar hoofd glijdt herkent Lapo de haardracht die verplicht is voor joodse vrouwen. Tegelijk zegt een knorrige stem uit de koets: 'Je moet niet vragen of de broeder ons rijden kán maar of hij het mág.'

'Vast wel,' zegt Lapo optimist. 'Rijden uit luiheid, dat is bij ons verboden. Rijden uit naastenliefde mag.'

'Naastenliefde! We kennen die naastenliefde van jullie! Of je joden mag rijden is de vraag.'

Lapo buigt zich over het lage portier en kijkt naar de bejaarde man die daarbinnen onder de huif zit. Hij draagt de met bont afgezette tabbaard van de artsen en zijn rechterarm hangt in een draagband. Blijkbaar is hij de vader van het meisje, en niet iemand met wie te spotten valt. Toch probeert Lapo, die dolgraag mee wil, het met een luchtig weerwoord.

'Kijk eens hier,' zegt hij gemoedelijk, 'ooit heeft een brave broeder míjn Franciscus zien rondrijden in de vurige wagen van uw Elias. Had Franciscus hem dat visioen gegund als het verboden was om in jodenwagens te rijden?'

Het meisje lacht en zelfs de arts lijkt vluchtig te meesmuilen. Tegen niemand in het bijzonder zegt hij: 'Of het niet genoeg is dat ze onze psalmen en profeten bezet houden als een land zonder leger. Ook met onze vuurwagens moeten ze de lucht in.'

Het klinkt hoe dan ook als een toestemming. Lapo opent het portier voor het meisje en zegt: 'Het is gek, ik heb met niemand ooit zoveel ruzie gemaakt als met mijn grote broer. Toch hebben we dezelfde vader.'

'En wat heb je zoal gedaan met die grote broer? Verbrand? Verzopen? Gestenigd? Zijn dochters verkracht?'

'Ik heb zijn wagen gereden,' zegt Lapo Mosca. 'Zullen we?'

Die laatste woorden gelden vooral het muildier. Lapo wapent zich met een paar distels, om het weerspannige beest desnoods tot lopen te dwingen, maar ze zijn niet nodig. Het zet zich in beweging zodra het de teugels voelt. De krachtige mannenhand!, denkt Lapo Mosca, buiten zichzelf van trots. Later hoort hij dat het meisje, dat Mirjam heet, het muildier, dat Balak heet, thuis met lieve woordjes en lekkere hapjes vertroetelt. Voor zo'n meesteres doet een muildier geen moeite.

Thuis: dat blijkt Avignon te zijn, waar doctor Nathan Creyssent een grote praktijk heeft en door beroemdheden van heinde en verre geconsulteerd wordt; maar het reisdoel van vandaag is Cavaillon. Elk najaar gaat hij met zijn dochter op familiebezoek, gewoonlijk in gezelschap van vrienden, want onbeschermd reizen met een jong meisje door woest gebied hoort niet tot zijn liefhebberijen. Dit jaar achtervolgt hem het ongeluk: de vrienden waren verhinderd, zelf brak hij zijn arm, en nu werd ook zijn koetsier nog ziek. Hij zou in het okerstadje gebleven zijn zonder een huilbui van Mirjam. Die had haar zinnen gezet op een onduidelijk feest met hutten en takken, dat ze in Cavaillon wil meevieren; en op de inwijding van de nieuwe jodenkerk, waar ze de oker voor gekocht hebben als laatste verfje; ...en op de bruigom, waar ze na de winter mee trouwen zal.

Lapo verneemt dit alles tijdens de pauzes die, nu Balak eenmaal op gang gekomen is, gemakkelijk kunnen worden ingelast. Ergens in een vriendelijke uitloper van een bergketen delen ze de proviand uit de mand van Mirjam. Hij lijkt op de mand van de Vogelplukker, wat men van de inhoud gelukkig niet kan zeggen. Mirjam keuvelt honderd uit, haar vader komt zijn humeurige bezorgdheid geleidelijk te boven, en Lapo is ook niet iemand om te zitten zwijgen in een animerend gezelschap. Zelfs een rondeel geeft hij ten beste, terwijl hij Mirjam uitlegt hoe zo'n lied in elkaar zit. Hoog boven hen miauwt een buizerd, en even ziet hij het gezelschap zoals het uit de lucht te zien moet zijn: drie vrolijke, hongerige mensjes in een grote groene stilte. Wie zou geloven dat het verschoppelingen zijn, met de nek aangekeken, de een door zijn eigen orde, de anderen door de hele samenleving...?

Lapo heeft de hinderlaag beschreven waaraan hij gisteren ontkomen is. Mirjam beklaagt hem, maar Creyssent toont zich niet bijzonder verbaasd. Onrecht is immers aan de orde van de dag? Een verklaring heeft hij niet voor het gebeuren. Hij kent de 'Galli' natuurlijk, ze terroriseren de stad, ze willen niet enkel Toscanen verdrijven, ook de joden staan op hun zwarte lijst; maar waarom zouden ze aanzitten achter één enkele minderbroeder? Creyssent is gehard tegen vijandigheid en maakt zich niet erg druk over de Franse liga. Als er maar eenmaal een paus is houden ze zich wel weer koest. De paus kan zijn Florentijnse geldschieters niet missen. En wat de joden betreft: ondanks plagerijen en discriminerende wetten is de bescherming van joden een pauselijke traditie.

Nergens zijn ze veiliger dan in Avignon en het bijbehorende graafschap. Zelfs in het jaar van de grote pest. Daar kregen de joden massaal de schuld van, ofschoon ze er ook zelf aan stierven, zoals Mirjams moeder. Het was paus Clemens die ze resoluut in bescherming nam, tegensprak dat ze de bronnen vergiftigd zouden hebben, hun toestond hun eigen geloof te onderhouden en hun eden af te leggen op het Oude Testament.

Paus Clemens, de goedgeefse pretmaker die Lapo als speelman heeft meegemaakt! Die hij deze ochtend nog een Antichrist noemde omdat hij een Anti-Franciscus op zijn slaapkamerwand had laten schilderen. Kunnen Antichristen ook iets goed doen? Wanneer trouwens is goed goed en slecht slecht...?

Het relaas van Lapo's wederwaardigheden is voor de arts aanleiding de reis voort te zetten: hier zijn ze niet op pauselijk terrein. Voor donker wil hij bij zijn vrienden zijn, en het donker valt al vroeg. Waarom zou Lapo met aanranders te maken hebben gekregen en zij niet?

'Omdat God niet zal toelaten dat Monna Mirjam iets overkomt,' meent Lapo galant.

Creyssent, op weg naar de koets, staat stil om hem aan te kijken. 'Zijn naam zij geprezen, maar de ervaring leert dat Hij zo iets bepaald niet altijd verhindert,' zegt hij droog.

'Gods heilige wil...' begint Lapo lukraak. Zijn galanterie heeft hem op glad ijs gebracht: constateert hij niet dagelijks hoezeer de arts gelijk heeft? 'Gods almacht...' probeert hij opnieuw, en komt niet verder.

Creyssent zucht. 'Niemand moest een woord in de mond nemen waarvan hij de omvang niet kent. Almacht! Bij ons zijn geleerden die stellen dat de Almacht zich richt op het heelal als totaal. De kleine lotgevallen van ons mensen worden bepaald door de sterren.'

'Sterren! Sterren zijn blind! Een God die met sterren dobbelt, hangt daar ons lot van af?'

'De sterren volgen de loop die de Meester van de Kosmos heeft vastgesteld. Dat leidt niet altijd tot gevolgen die ons mensenverstand als rechtvaardig beschouwt... Je leven, je kinderen, je welstand: niet door je deugd worden ze bepaald, maar door de sterren. Dat staat in het boek dat we Talmud noemen.'

'Een verschrikkelijk idee,' zegt Lapo uit de grond van zijn hart.

'Maar een nuttige hypothese. Ze leert je af om op iets te rekenen en houdt je verre van wat onbegrijpelijk is. Rijden maar.'

Lapo roept 'hort' tegen het muildier en 'hort' tegen zichzelf. Ze komen nu aanstonds in de bewoonde wereld en op aanraden van Creyssent heeft hij de koetsiersmantel aangetrokken waar hij Mirjam het eerst in heeft gezien. Voor zijn eigen veiligheid, want ze kruisen de weg die hij gisteren overhaast heeft verlaten, zij het op een ander punt: je weet nooit wie hem daar kan herkennen. Maar vooral om geen aanstoot te geven moet hij zich vermommen: een franciscaan die een wagen met joden ment lijkt te veel op een spotprent. Hoe je het Oude Verbond en het Nieuwe Verbond ook bij elkaar optelt, een Monsterverbond blijft het altijd...

Het is nog volop licht als ze Cavaillon bereiken en Lapo zijn reisgenoten vaarwel zegt: aangenomen dat men van een vaarwel kan spreken als het hart nog zo van die reisgenoten is vervuld. Lapo Mosca, langs binnenwegen voortstappend in de richting van zijn einddoel dat nu niet al te ver meer is, ziet niet anders en hoort niet anders dan Mirjam Creyssent, het ranke figuurtje, het levendige reageren, de prachtige ogen, de lichte stem waarmee ze zijn rondeeltje nazong. Ga liever een beetje bidden, ouwe kerel. Je hebt haar zopas bij haar bruigom afgeleverd. Ook een ouwe kerel trouwens. Een weduwnaar. Als de christenen de joden niet pesten doen die dat zelf wel...

11 Babylon aan de Rhône

Avenio ventosa,
sine vento venenosa,
cum vento pulverosa,
semper fastidiosa!

Avignon, die windhoek,
zonder wind een stinkhoek,
als het waait dan stik je in 't stof,
altijd is het hier een sof!

‘Hoor,’ zegt een oude man, vinger in de lucht, ‘de gekke wind steekt op.’

De gasten luisteren naar de schoorsteen. Lapo Mosca zet er zijn kroes voor neer. De zoldering is laag, het gieren dichtbij. Het stemt hem onbehaaglijk.

Een armoedig lokaal in een voorstad. Gammele banken, weinig licht, weinig conversatie. De wijn hier verbeeldt zich heel wat, maar voor een Toscaan is het wennen.

‘De moddervreter noemen ze ’m,’ laat de waard weten met een knik naar het rookgat. ‘Droogt de grond uit binnen het uur. En maar stuiven en huilen en karren de Rhône in flikkeren...’

‘Het lukt niet altijd om bijtijds weg te komen,’ verduidelijkt een klant. ‘Zo is er niks, zo brult-ie. God mag weten waarom.’

(God mag het weten, Lapo Mosca weet het ook. Hij weet het sinds gisteren. Sinds hij een oud wijf op een heuveltje heeft zien staan, vodden en armen wapperend tegen de avondhemel... en bezig de mistral te roepen. Honderd meter verder een soort kasteel met een gehucht eromheen: Cabannes. Hij is haar de groeten gaan brengen van de Vogelplukker, haar zoon, zoals hem gevraagd was. Ze lette amper op zijn woorden, vervuld als ze was van haar bezwering:

‘...De pannen van de daken!
De daken van de huizen!
De huizen in elkaar!
De mensen plat als luizen!’

De heer van Cabannes had haar geit in beslag genomen, die al grazend op zijn grondgebied was beland. Ze nam de wraak die ze nemen kon: 'Vloek over jullie, heren van Cabannes! De maestral zal jullie halen! Hemel en aarde zullen jullie halen!' Een toverkol, half vogel half schorpioen, zei ze zelf.

En hartstikke gek!, besloot Lapo later, opgelucht voortstappend door de windstille nacht. Ze had hem te slapen genodigd, dat had hij niet gedurfd. Maar storm roepen...! Onzin! Geen mens kan de storm roepen.

Dacht je? Mistral komt van ver, is niet aanstonds ter plekke, en hoor nu die schoorsteen eens: daar heb je 'm!

Achter hun mokken morren de mannen. De wind is te vroeg. Niet alle oogst is binnen, niet alle schepen liggen veilig. De rivier staat toch al hoog na die vele regen. De storm hoeft het water maar even buiten de oevers te jagen en de kelders lopen onder. Kunnen ze daar ook nog eens voor betalen...

Betalen?

En hoe. De stad mag van de paus zijn, het water is van de koning. Over de grond die door zijn water bedekt wordt heft hij onmiddellijk belasting. Zeker nu ze zonder paus zitten. Reken maar dat er al ambtenaren staan te loeren...

Inderdaad, er is nog steeds geen paus. Het heet dat hij onderweg is. Een monnik, wordt er gezegd. Moet een zuurpruim wezen. 'Beter een zure pruim dan helemaal geen pruim!' zegt iemand, en ontlokt er een schamel gelach mee. In elk geval: het is een Fransman, weggaan zal hij hier niet. Gode zij dank. Als het hof hier wegtrok bleef er een spookstad achter. Heel Avignon bidt dat hij blijft.

'Heel Rome zal wel bidden dat hij kómt,' meent Lapo, en voelt de temperatuur dadelijk enige graden dalen. Of de gebeden van Rome wat waard zijn, grommen de klanten. Als het op touwtrekken aankomt, broeder, halen we hier Rome glad over de streep! Beschikken ze dáár soms over het gebed van een echte paus en vijfduizend geldig gewijde personen?

Lapo vraagt: 'Weten jullie dat er een profeet is die zegt: beide partijen zullen worden verhoord? Per ongeluk, natuurlijk, en dan zit de wereld opeens met twéé pausen, eentje hier, eentje daar.

Hier in Avignon heeft die profeet dat staan vertellen. Ooit van gehoord?'

Nooit. Niemand. Als Jean de Roquetaillade al ooit het gesprek van de dag vormde, dan moet dat lang geleden zijn. Een sombere drinker veronderstelt zelfs: 'Een Italiaan zeker. Dat zijn allemaal van die zwetsers...'

Er schijnen hier vierhonderd slijterijen te zijn om tegemoet te komen aan de dorst van alle touwslagers en koperslagers; alle kousenmakers, kammenmakers, perkamentmakers, fustmakers, degenmakers, dobbelsteenmakers; alle edelsteensnijders, boekschrijvers, glasblazers, lakenscheerders, kurassmeders, klokkengieters; al het marktvolk en schippersvolk en vooral geestelijk volk: clerici, clerici, clerici!

De mistral veegt door de straten; maar als Lapo Mosca op zoek gaat naar een Toscaanse kroeg, is het toch vooral om even in de luwte te zijn van de kille wind van anti-Italiaanse rancune, waar zijn geest in de loop van de dag wat verkouden van is geworden.

Het is waar, er zijn een massa Italianen hier en ze komen vooral van de Arno-oevers. Het is hun aan te zien dat ze hard werken, goed verdienen, en een gesloten front maken. Te hard, te goed, te gesloten, hebben Fransen hem te verstaan gegeven. De Italianen hebben hun eigen bedrijven, winkels, markten, tuinderijen; hun eigen broederschappen en hospitalen, geleidelijk drukken ze de Fransen overal uit. Zelfs uit hun huizen!, wordt er beweerd. Ze drijven de huren op, er is toch al ruimtegebrek binnen de muren. Dat ook de Italianen lijden onder dat gebrek, dat er, om de dertig huizen, wél plaats is voor een bordeel, dat het juist Franse prelaten zijn die tientallen huizen, schuren en stallen vorderen voor hun 'livrée' en hun soms wel tachtig paarden – daar hebben alleen zijn landgenoten hem op gewezen. Behalve eenzijdig zijn de klachten van het Franse bevolkingsdeel van een vaak woordelijke eenvormigheid: alsof ze allemaal uit één bron komen. 'Galli'...?

Lapo Mosca zoekt een Toscaanse kroeg, er zijn er vele, hij bereikt er geen. Hij laat zijn voornemen varen als hij door een stadspoort een rivierhaven ziet. Wie weet is daar nieuws van de Sancta Martha? Het schip had ruimschoots binnen kunnen zijn. Hij had erop gerekend, bij zijn aankomst een nijdige broeder Ubaldo aan te treffen en zou graag weten hoe lang hij het genoegen van diens afwezigheid nog mag smaken.

Hij is de poort nog niet door of hij voelt zich in de flank gegrepen door de woedende wind. De Rhône, die hij zich herinnert als snel, vriendelijk water in een beheersbare zomerbedding, schuimt en kolkt als een zee. Hij werkt zich naar een loods toe waarin het havenvolk een heenkomen heeft gezocht.

Veel aandacht schiet er niet op over voor hem. Alles tuurt gespannen naar het water. Een schuit is al losgeslagen en op drift geraakt. Het water staat veel te hoog. Terwijl hij iets brabbelt over een vrachtschip uit Mallorca, begint een sleper opgewonden te roepen en te wijzen: tussen ontwortelde bomen en wrakstukken lijkt een mens te worden voortgesleurd. Schip over tijd, zegt u? Kan gebeuren. Tegenwind. Averij. Afwachten maar...

Wie graag gerustgesteld wil worden heeft aan vage taal voldoende. Lapo, terug in de stad, voelt zich vooral bevestigd in zijn landrot-schap en de juistheid van zijn keuze voor een tocht over solide vastegrond. Tegelijk schaamt hij zich plichtmatig omdat zijn enige werkelijke bezorgdheid uitgaat naar een jaarverslag in een reiszak...

Voor kroeglopen is het ondertussen te laat geworden, hij maakt er een kloosterloop van. Het minderbroederklooster dat hem gastvrijheid verleent ligt een eind weg, in een andere buitenwijk; en geheel volgens de voorschriften van de heilige Armoede: midden tussen de voddenrapers en dieven. Voor een man die eergisteren nog aan een hinderlaag ontkwam is het zaak voor donker binnen te wezen. Wie hem in Apt zocht kan hem zoeken in Avignon. Afgezien daarvan: het is gewelddadig volk hier. Meer dan eens heeft hij vandaag kerels, en zelfs vrouwen, elkaar in de haren zien vliegen; en de gemengde berichten waarop hij in kroegen getrakteerd is, waren ook niet kinderachtig. Een arts die een bankloper beroofd heeft, is die morgen gehangen. Een zilversmid die vannacht heeft ingehakt op muzikanten die een serenade brachten, is vandaag bezweken aan de reacties van de buurt. Voortvluchtig is de pasteibakker die een kruik stuksloeg op het hoofd van zijn vrouw, die in coma ligt. Bij de jongste rechtszitting op het kerkhof van St.-Symphorien zijn twee verdachten elkaar met brokken grafzerk te lijf gegaan; beiden waren vooraanstaande leden van de vakbond voor de Misdaad, Alperuche. En op het kerkhof van Ste.-Cathérine, dat 's nachts niet meer is dan een stuiverbordeel, heeft een vrouw haar collega afgetuigd met een brandende kandelaar... Als het Lapo Mosca te doen was om gegevens van dit soort kwam hij rijk gedocumenteerd naar huis.

Sinds de vroege morgen heeft hij door de stad gezworven: zijn beproefde methode van nieuwsgaring. Veel wijzer is hij er ditmaal niet van geworden, en dat was te voorzien. Welke stamgasten lopen warm op een onheilsprofeet? Welke barbier heeft nieuws over een kardinaalslegaat? Over de 'Galli', dat wel, daarover kunnen ze hem op iedere straathoek vertellen; maar het ziet er niet naar uit dat de Franse wrok tegen de Toscaanse migranten iets met zijn officiële opdrachten te maken heeft.

Enkel over de moeilijkheden waar Maria's neef in terecht is gekomen heeft hij iets naders vernomen. Arnaldo di Ruspo was betrokken bij een overval op een van Avignons meest vooraanstaande burgers, een rechter van het Wereldlijk Hof, zekere Etienne de Cabannes. De man had het overleefd, maar het zag er slecht voor Arnaldo uit. Cabannes! Makkelijk te onthouden. Misschien heeft een broer van het slachtoffer een arme weduwe van haar geit beroofd?

Nieuwsgaring, denkt Lapo Mosca, schuifelend door de drukte van de binnenstad: komt daar wel ooit iets van terecht als ze tegelijk een pelgrimstocht is naar twintig jaar geleden? Luisteren naar mensen, praten met mensen, snuffelen in de vishal, de triperie, bij badhuizen en banken... maar steeds met een half oog, een half oor, want: hier stonden toch vroeger platanen? Waar is die mooie waterput gebleven? Die straatjes lijken wel nauwer geworden. Het pauspaleis wel groter... Dat laatste was een feit, bevestigde een voorbijganger die hem zag staren: nieuwbouw van wijlen paus Clemens had de omvang van de residentie bijna verdubbeld. Wie had het ook weer over ruimtegebrek binnen de muren? Maar het enorme gebouw lag er verlaten bij, sinister zelfs. Denkend aan wat diverse medebroeders overkomen was daarbinnen, zag Lapo bijna met lijflijke ogen boven de poort de grimmige regel uit de Hel van messer Dante geschreven: 'Per me si va ne la città dolente'... Door mij betreedt men de stad van het lijden. Die gedachtensprong had hij twintig jaar geleden, lachend en vedelend, vast niet gemaakt...

Eerlijk: ook de Pignotte was bijna tweemaal zo groot geworden, de pauselijke gaarkeuken, en daar was het allesbehalve verlaten: twaalfhonderd armen konden er nu dagelijks brood en wijn krijgen, en bij toerbeurt bonensoep met kaas. Voedzame soep zelfs. Hij was het natuurlijk meteen gaan proberen, in een veelheid van tongen en talen: hier, tenminste, werd de vreemdeling niet buitengesloten.

Dicht bij de Pignotte, achter een poort, had hij ten slotte het getto gevonden, een mierenhoop van misschien wel duizend mensen op geen driehonderd voet in 't vierkant. Dicht achter de synagoge zag hij het huis van de dokter.

Stank heeft hem de weg naar de Sorgue gewezen, waar het klooster pal tegenaan ligt. Stank, en het geknars van schepraderen: het ververgilde gebruikt het riviertje als spoelbak.

Achter een misprijzende broeder-portier staat een handvol Florentijnen te hopen op een brief. Lapo heeft die morgen al in het voorbijgaan een schoenlapper kunnen condoleren met de dood van zijn moeder en een zadelmaker met de geboorte van een zoon die hij ruim een jaar geleden verwekt zou moeten hebben. Het nieuws dat er nieuws is heeft zich onmiddellijk verbreid. De meeste wachtenden zijn kleine middenstanders, correct in het verschoten pak, gelaten in hun teleurstelling, dankbaar voor wat de broeder zich herinnert of verzint. Gedwee ruimen ze het veld als de portier een ongeduldige keel gaat schrapen.

Eén zakenman blijft achter, toonbeeld van welgesteld dédain voor keelschrapende portiers. Lapo heeft hem op het eerste oog geïdentificeerd als jongere uitgave van Marco di Rosso, in zijde en brokaat. Filippo blijkt sinds weken met smart op bericht van zijn broer te wachten. Hij heeft zó lang niets gehoord, hij moet vrezen dat er iets zoek is geraakt, misschien zelfs in verkeerde handen gevallen. Het nieuws dat nu een tweede zending in elk geval vertraagd en misschien ook weer vermist is, brengt hem tot wanhoop. Zonder kennis van de inhoud kan hij geen maatregelen nemen, die waarschijnlijk dringend nodig zijn. Een zaak van leven en dood, laat hij zich ontvallen; een van de termen waar Lapo altijd erg kalm van wordt.

'Hoe wist u dat dat jaarverslag aan mij was meegegeven?'

'Dat wist ik niet, maar mijn broer vertrouwt zijn post bij voorkeur toe aan franciscanen. Zodra ik hoor dat er een in de stad is ga ik bij hem langs.'

'U wist dus ook niet dat ik met uw wapenkonvooi over de Ginèvre ben gekomen?'

'O? In opdracht van mijn broer?'

'Nee. Uw broer gaf me wel een andere opdracht: oppassen voor een zekere Gallus.'

'Ja, ja, dat moeten we allemaal. Het hoofd van de Franse liga.'

'Weet die Gallus dat uw broer een zwak heeft voor franciscaanse postbodes?'

'God beware ons! Hoezo?'

'Iemand heeft jacht op me gemaakt. Iemand zocht een minderbroeder die met uw konvooi meereisde. Wie zou dat anders kunnen zijn? Ik ben op het nippertje ontkomen.'

'Dat is heel slecht nieuws,' zegt Filippo, en doelt kennelijk niet op Lapo's levensgevaar. 'Daarmee is de franciscaanse lijn te riskant geworden. Mijn broer moet dat zo gauw mogelijk weten... Heeft hij je verder niets gezegd? Niet iets...' Filippo aarzelt, mag het niet vragen, vraagt het toch: 'Niet iets over een nieuw soort wapen...?'

Lapo schudt het hoofd. Dan wordt ook hem de nieuwsgierigheid de baas: 'Hij had het over iemand uit Umbrië, ik weet niet meer in welk verband. Zegt dat u iets? En over een kostbaar handschrift. Misschien hebt u dat ondertussen ontvangen? Een geschrift van de heilige Petrus, als ik het wel heb.'

Maar Filippo haalt de schouders op: hij weet van niets. Vrome handschriften liggen goed in de markt, maar zijn van geen betekenis vergeleken bij wat hem op dit ogenblik vervult. De jongeman staat al bijna buiten de spreekkamer als Lapo een opwelling, hem door elkaar te schudden, heeft teruggebracht tot een stevige hand op een bombazijnen mouw.

'Dan zullen we het nu hebben over de maatregelen waarmee u míj denkt te beschermen. Als die Gallus het op mijn leven gemunt heeft komt dat omdat hij me in verband brengt met de firma di Rosso.'

'Op je leven gemunt! Doe niet zo dramatisch! Áls Etienne erachter zit, dan was het hem om brieven te doen, niet om jouw persoon.'

'Etienne?'

'De Gallus. Een rechter die de Fransen ophitst tegen de Italianen. Etienne de Cabannes. Hij komt zeker te weten dat je mij gesproken hebt. Vanaf dat moment ben jíj niet interessant meer voor hem.'

'Omdat ik de brieven die er niet zijn heb afgegeven...?'

'Precies. En wil je me nu doorlaten? Als je bang bent, ga dan per eerste gelegenheid naar huis. Kun je meteen mijn broer waarschuwen.'

Etienne de Cabannes, wel wel. Zo'n Lapo toch, die dacht dat hij in Avignon alleen achter zoethoudertjes hoefde aan te slenteren. Etienne de Cabannes, vijand van Maria's Arnaldo, tevens de 'Gallus' uit het jaarverslag...? Zal het Lapo Mosca gegeven zijn twee klappen te slaan op één vlieg?

Drie zelfs. In het donkere gangetje staat een man te wachten die zich daareven onder de Florentijnse nieuws-gierigen bevond.

'Jachopo, niet? De barbier? Ik weet eerlijk niet meer dan ik je verteld heb: je bruid laat om reisgeld vragen. Gefeliciteerd, man, dat wordt dus trouwen!'

'U bent Lapo Mosca. U bent een machtig man. O jawel: u bent het geweest die indertijd mijn broer van de pijnbank vandaan heeft gehouden, dat weet heel Florence. Ik had u graag even gesproken.'

De zaak is: Jachopo kán zijn bruid geen reisgeld sturen, en dat is maar goed, want als ze kwam kon hij haar niet onderhouden. Zijn hele toekomst steunde op een erfenis die hij niet krijgt. Het testament ligt bij de notaris, alles staat zwart op wit, met getuigen en zegels. Nu zeggen ze dat het ongeldig is en krijgt Jachopo niks. Sinds de dood van die baas is hij bovendien werkloos.

'Dus jouw baas hield er een privé-barbier op na? Die moet er warm bij gezeten hebben.'

De baas was kardinaal. Jachopo schoor hem al toen hij nog bisschop van Florence was en is in zijn 'livrée' mee naar Avignon gekomen. Allebei hebben ze de pest gekregen, vorig jaar, maar alleen Jachopo werd beter. Wat je beter noemt! De barbier heeft binnensmonds staan stamelen, maar nu breekt hij heftig los: 'Het zijn de Hanen die me dat aandoen! Hun baas is een rechter, die kent alle loentjes. Hier verdiend geld mag opeens niet meer aan buitenlanders uitgekeerd worden. Hij blokkeert het testament. De notaris denkt niet dat ik er ooit een cent van in handen krijg.'

Lapo laat zich het adres van de notaris geven. Het blijkt dezelfde te zijn die hem ook thuis is opgegeven, zekere Ser Angelo da Settignano, gevestigd in de wijk St.-Didier. Schouderkloppend doet hij de barbier uitgeleide. Zijn vermoeidheid is ineens over: hier is werk aan de winkel waar hij zin in heeft. Het verhaal van de barbier heeft hem in één klap duidelijk gemaakt waarom ook zijn orde thuis vergeefs op haar vijfhonderd florijnen zit te wachten. Wat Lapo betreft mogen ze blijven wachten. Het is hebzucht die hen drijft, geen gebrek. Maar voor een kleine sloeber, die hem bovendien een machtig man genoemd heeft, zet hij zich met geestdrift in...

...Niet overigens dan nadat hij op het matje geroepen is bij zijn Franse gastgardiaan voor een scherpe uitbrander. Het is niet de bedoeling dat half Florence het klooster binnendringt. Voor dergelijke samenscholingen beschikt de stad over pleinen en kerkhoven.

Lapo excuseert zich met verve. Een ruime ervaring heeft hem gehard tegen berispende gardianen. In zijn eigen land komt hij gewoonlijk het verst met onverstoorbare onnozelheid. Tegelijk zal hij dit tête-à-tête uit moeten buiten, want hij heeft al in de gaten dat een niet-berispend onderhoud met zijn gastheer moeilijk te krijgen is. Een volstrekt valse ootmoed kleurt zijn stem als hij inhaakt op de laatste woorden van de strenge man: 'Kerkhoven, zegt u. Ik heb op het kloosterkerkhof gezocht naar het graf van een medebroeder waar ik bij had willen bidden. Ook broeder-doodgraver wist van niets. Jean de Roquetaillade was de naam.'

De gardiaan kijkt hem een ogenblik sprakeloos aan, gromt dan – het zou een lach kunnen zijn – en grijpt ostentatief naar zijn paperassen.

'Een ketter in míjn gewijde aarde? Nooit.'

'Maar is hij dan veroordeeld?'

'Niet iedere ketter is veroordeeld. Met Gods hulp krijg ik hem nog een keer.'

'Dus hij is nog in leven?'

'Waarom niet? Onkruid vergaat alleen als je 't in het vuur gooit.'

Maar waar het onkruid dan op dit moment aan het woekeren is, weet hij niet. Met ketters bemoeit hij zich alleen in de rechtszaal. Lapo herinnert zich wat laat dat Hugo van Cardillon behalve gardiaan ook inquisiteur is, en wel met zoveel gezag dat de broeders in Italië van laag tot hoog een beetje bang voor hem zijn. Het is duidelijk dat de grote man genoeg heeft van Lapo, maar die kan zijn laatste vraag niet voor zich houden: Weet de pater iets over een Florentijnse gardiaan die zich aan het pauselijk hof bevindt?

'Dat ontbrak er nog net aan. Een Florentijnse gardiaan hoort in zijn Florentijnse klooster. Net als jij. Ingerukt mars!'

Ook al weer een 'Gallus'...? Lapo vraagt het voorzichtig aan de kloosterbibliothecaris, een van de weinigen die hem niet met wantrouwen bejegenen. Die ontkent het. De gardiaan moet niets hebben van de Franse liga. Hij haat Cabannes, die geëxcommuniceerd is geweest nadat hij eigenmachtig een clericus had opgehangen. Het is niet alles Haan wat er kraait! De gardiaan is anti-Florentijns, maar om een heel andere reden. Banale broodnijd speelt daarbij geen rol. Toscanen zijn gevaarlijker dan ketters: ze zijn onverschillig. Als het erop aankomt geloven ze helemaal in niets. Het Mekka van de spotters en sceptici ligt aan de Arno, ook al noemt de stad zich Guelfs en bewijst ze lippendienst aan Kerk en paus. Daarom haalt de gardiaan de schouders op over de strijdkreet van de Galli. Toscanen de Rhône in? Dat is hem veel te kleinschalig. Waar Hugo van Cardillon sinds jaren materiaal voor verzamelt is een interdict, een pauselijke doodverklaring, zo grimmig als de christenheid niet eerder beleefd heeft. Gedaan zal het zijn met alle arrogante bedrijvigheden van die zondige stad, vogelvrij zullen haar burgers zijn, de ploeg zal over de grond gaan waar haar trotse gebouwen verrezen... De bibliothecaris heeft hem bij zijn onderzoek geholpen, en is natuurlijk tot geheimhouding verplicht; maar hij neemt zijn overste op dit punt niet helemaal serieus. De bibliothecaris is in Florence geweest, de gardiaan niet. De ploeg over het Priorenpaleis en de Dom en Santa Croce, kom nou!

Overigens heeft de bibliothecaris het zwarte schaap Roquetaillade goed gekend. Van zijn verblijfplaats is ook hij niet op de hoogte, maar des te beter kent hij de verblijfplaats van Jeans belangrijkste profetieën. De stoffige foliant die hij opdiept uit een vergeten hoek van zijn eigen bibliotheek blijkt de oudste, nog Franse versie te zijn van het 'Boek der Verborgen Gebeurtenissen'. Wie de schrijver zoekt kan daar, voorzien van een kaars, allerlei uit leren, zowel over Jeans verleden als over de toekomst der wereld; inclusief de komst van de Antichrist natuurlijk.

'Dat interdict over Florence,' zegt Lapo, die ondanks zichzelf nogal geschrokken is van die charismatische toekomstdroom, 'voorspelt hij dat soms ook?'

'Niet in dit *Liber Secretorum Eventuum*, meent zijn vraagbaak; maar broeder Jean heeft een massa voorspeld dat niet in de bibliotheek aanwezig is, dus wie weet...

(Wie weet, en dan had broeder Jean tenminste eens in zijn leven iets voorspeld dat veertien jaar later, zij het zonder ploeg, op de meest daverende manier in vervulling zou gaan.)

Hoort toe, hoort toe!, leest Lapo. 'Dit is wat mij, onwaardige dienaar, geopenbaard werd in het jaar des Heren 1340 of daaromtrent, in het koor, op het feest van de roemrijke Maagd Maria, tijdens de metten.' Vijf rampen zullen voorafgaan aan de komst van de Antichrist. Jean, die zijn boek een achttien jaar later schreef, heeft er sindsdien al drie zien losbreken. De eerste was hongersnood en de tweede was sterfte. 'Wie herinnert zich de pest niet van 1348, en het hongerjaar dat eraan voorafging? De derde ramp heeft de aarde doen beven als nooit tevoren. Gedenkt Basel in 1356, gedenkt Bourgogne en Sevilla! De vierde ramp: ziet om u heen, alles is oorlog, alles druipt van het bloed: de vierde ramp is nu! En dit is u een teken dat de vijfde ramp nadert: als de stormen opsteken, loeiend van noord naar zuid, mens en dier meesleurend. Dan zal de zon zwart worden als een haren zak en de maan vollopen met bloed...'

Er is geen maan vanavond. Toch morgen de zon eens goed bekijken...

De notariële vinger, zorgvuldig gemanicuurd, glijdt langs de lange rij legaten. En stopt. Juist, de franciscanen van Florence. Vijfhonderd goudflorijnen.

'Wel, broeder, het bezit van de betreurde erflater bestond bijna geheel uit grond. In het legaat van uw cliënten is sprake van terreinen langs de rivier de Gard. Wijngaarden, bos en bouwland, met een drietal boerenhoeven...'

'Ze zullen ze in dank aanvaarden...'

'Voorshands is dat nog niet mogelijk. Ik heb hun dat bericht.

Blijkbaar de zoveelste brief die zoek is geraakt! Het gebied waarvan sprake is ligt in Frankrijk, het valt onder de sénéchal van Nîmes. Er is overleg gaande tussen het stadsbestuur van Avignon en de omliggende ambtsgebieden om tot een verbod te komen op verkoop, vererving of enige andere vorm van overdracht van grondbezit aan buitenlanders. De vestiging van het pauselijk hof heeft een "overvreemding" ten gevolge die volgens sommige groeperingen zorgwekkend is.'

'De Galli...?'

Ser Angelo haalt de schouders op. 'Hun invloed is aanzienlijk. In elk geval is het hun leider die, hangende het overleg, de uitvoering van testamentaire clausules als deze geblokkeerd heeft. Als rechter was hij daartoe in staat.'

'Maar notaris, de oplossing is toch eenvoudig! Mijn broeders stellen geen enkel belang in die terreinen. Verkoop ze, en stuur hun de vijfhonderd florijnen die ze waard zijn.'

'Ik moet aannemen dat uw overste de tekst van het testament niet zelf onder ogen heeft gehad. De voorwaarde die de overledene aan dit legaat verbindt is dat de erfgenamen het land níét van de hand doen. Dat heeft hij de boeren die erop wonen uitdrukkelijk beloofd. Ze blijven het land bewerken *a mezzadria:* de helft van de opbrengst houden ze zelf. Die vijfhonderd florijnen zijn dus een vorm van vruchtgebruik. Ze zouden geleidelijk over een verloop van jaren zijn binnengekomen. Maar als gezegd: ook daar ligt momenteel een embargo op.'

'Komt u wel meer van dat soort rare bepalingen tegen in testamenten?'

'O jawel. Ik heb de kardinaal nauwelijks gekend, maar het schijnt dat hij met die boeren daar nieuwe landbouwmethoden wou uitproberen. Hij moet gedacht hebben: die paters in Florence laten ze wel hun gang gaan. Nee, dat is niet zo iets bijzonders. Vergeleken bij wat er verder op het spel staat is het ook volstrekt onbelangrijk. Als de Galli-fractie haar zin krijgt komt het op den duur tot onteigening van alle buitenlands bezit. Huizen, banken, winkels, noem maar op. Ook notariskantoren natuurlijk. En niet alleen van Italianen, al hebben die de primeur. Joden moeten er ook aan geloven. Duitsers, Engelsen, maar dat zijn er lang niet zoveel...'

'En dat vertelt u zo langs uw neus weg? Het is diefstal!'

'Ja. Maar de stuwende kracht achter de Franse liga is rechter de Cabannes en zijn ambtstermijn loopt af met Sint-Andreas. Dat is nog een maand, en daar zal hij in doen wat hij kan. Maar ondertussen komt er een nieuwe paus, en dat is geen doetje!'

Grimoard, abt van St.-Victor: eindelijk is zijn verkiezing bekend gemaakt. Hij is onderweg en zou Genua al gepasseerd zijn. Lapo wrijft zich de handen. De vlieg heeft goed geroken, daar op de kade van datzelfde Genua!

Ser Angelo zegt: 'Daarom moet je provinciaal zich niet te veel zorgen maken. Een rechter van het wereldlijk hof heeft geen zeggenschap over een kardinaalstestament. Die inmenging zal de nieuwe paus niet over zijn kant laten gaan; zijn voorganger was te ziek, die bemoeide zich ten slotte nergens meer mee.'

'Wacht even. De barbier van de kardinaal krijgt zijn legaatje ook niet uitgekeerd, en u schijnt gezegd te hebben dat hij het wel kon vergeten...'

De notariële vinger glijdt weer.

'De personeelslegaten zijn uitbetaald. De hele livrée bestond uit Fransen.'

'Niet de barbier. Die is met Zijne Eminentie meegekomen uit Florence. Jachopo di Jachopo...'

'Die wordt hier opgevoerd als chirurgijn. Volgens getuigen heeft hij de kardinaal adergelaten tijdens zijn laatste ziekte. Behandelende genezers zijn van vererving uitgesloten, zoals je weet.'

'De man lag ziek aan de pest, tegelijk met zijn baas. Waar vind ik die valse getuigen, dan zal ik eens even...'

'Je vindt ze in de Franse liga. De zaak is in behandeling bij Cabannes persoonlijk. Die Jachopo van jou maakt niet echt veel kans...'

'Dat zullen we dan nog eens zien... ná Sint-Andreas.'

'Stel je van die ambtstermijn nu ook weer niet te veel voor.

Daarna blijft Etienne de Cabannes altijd nog een machtig man, en hij heeft veel verbitterde volgelingen. Zelfs...' De notaris aarzelt, buigt dan dichter naar zijn cliënt en fluistert bijna. 'Er gaan geruchten over een geheim wapen dat de Galli zouden ontwikkelen. Iets met vuur en buskruit.'

'O dat. Dat wordt nooit wat, is me verzekerd.'

'Wees daar niet te zeker van. Het wapen moet geperfectioneerd worden. De Italiaanse factie neemt het in elk geval zeer ernstig. Wie vuurwapens heeft, heeft de stad. Daarom zijn ook de Italianen ermee bezig.'

'Vrede en alle goeds!' zegt Lapo; dat is het devies van zijn orde. 'Laten we hopen dat de partijen geen van beide slagen. En dat die Cabannes op een andere manier de mond gesnoerd wordt...'

'Er is maar één manier efficiënt,' zegt ser Angelo, 'en ik kan je verzekeren dat die manier door verschillenden van zijn slachtoffers overwogen wordt.'

De wind lijkt iets minder onstuimig. Op sommige plaatsen kan het werk aan de nieuwe stadsmuur hervat worden. Arbeiders en dienstdoende burgers zijn in de weer met takels en troffels en manden met stenen, en omdat Lapo graag anderen mag zien werken, blijft hij staan kijken. Sinds hij Filippo di Rosso gesproken heeft is hij minder bang voor de onbekenden die in Apt op hem loerden. Ze zochten niet hem, maar documenten, en moeten aannemen dat hij die overhandigd heeft. Afgezien daarvan kan een mens niet doorgaan met bang zijn.

O nee? De ijver waarmee aan de stadsmuur gewerkt wordt wijst op het tegendeel. Avignon doet niet anders dan doorgaan met bang zijn. De duivel zit ons op de hielen, bevestigt een opzichter. Morgen kan er weer een troep huurlingen de Rhône komen afzakken. De ellendelingen van Arnaud de Cervole komen alle paar jaar terug, en ze zijn de enigen niet, ook de plunderaars van Henri de Trastamare kiezen nu de Provence als doelwit. Er bestaat tegenwoordig een estafettedienst die vanuit Toulouse en Lyon zal waarschuwen als ze eraan komen, en de stad heeft een garnizoen in het leven geroepen dat enige weerstand kan bieden; maar zonder muren is Avignon niets waard. Wat heeft paus Innocentius zaliger niet allemaal op moeten brengen om het ontuig kwijt te raken: juwelen, zilveren serviezen, alle contanten uit zijn schatkist. Zijn opvolger begint met schulden; en zilveren serviezen ho maar: die eet – áls hij eet – uit een houten nap. Het is de vraag of hij het garnizoen kan blijven betalen. Ook nu bestaat het nog maar uit honderd vijftig man. Genoeg om binnen de stad voor enige orde te zorgen, maar te weinig om het graafschap schoon te vegen. Daar worden reizigers dagelijks overvallen en beroofd. Paard, wapens, kleren, alles wordt hun afgenomen; zelfs schoenen!, zodat het een tijd duurt voor ze alarm kunnen slaan. En de boeren! De huurbenden hebben er plezier in om boeren in zakken te stoppen en ze 'om te smeden' op aambeelden met gloeiende voorhamers. Geen wonder dat er steeds meer landvolk de stad in vlucht. Metselen, jongens! Metselen aan de muren!

Waar is hij niet allemaal aan ontkomen! Lapo Mosca huivert nog als hij zijn weg vervolgt. Zijn volgend bezoek geldt de bankier di Ruspo, oom van Maria, vader van haar dierbare neef.

De bank ligt midden in de Italiaanse wijk. Hier ruikt het als op de Oude Markt thuis, en het is er even bedrijvig. De winkels liggen vol Italiaanse boeken, Italiaanse messen, Italiaanse stoffen. Het merk van het Florentijnse wolgilde hangt hier en daar nog aan de rollen laken. Ook fraaie Florentijnse kruisbeelden zijn er te koop, kostbare emails, zilveren kandelaars en vergulde serviezen, beschilderde bruidskoffers, geborduurde paramenten, schaakborden van notehout met kokette schaakstukken. Kraampjes met saffraan, amandelen, zoute tonijn, fournituren zijn vóór de winkels opgesteld; en erachter verheffen zich de grote bankiersfilialen: de Soderini, Alberti, di Ruspo... afgewisseld door kroegjes met onvervalst Toscaans rood en wit, vaten vol! Als thuis, als thuis... behalve dat er overal wapens voor het trekken liggen: tussen de koopwaar, in boodschappenmanden, gevesten die uit laarzen steken. Wapens dragen is verboden, geen wapens dragen onverantwoord. Wapens tegen wie? Dat blijft in het midden.

'Bij de Evangeliën, broeder!' heeft de notaris geroepen. 'De zaak Ruspo! Wees wijs en blijf erbuiten!'

Bij een Ridder die de opdracht van zijn Dame vervullen moet, maken notarisadviezen natuurlijk geen kans. Lapo Mosca zit nu dus tegenover de oude Lapo di Ruspo, en net als buiten is het nog steeds of hij thuis is. De onvermijdelijke inleiding heeft hij reeds over zich heen laten gaan: Arnaldo is heldhaftiger dan een leeuw en onschuldiger dan een lam. Machtigen stoot hij van hun zetel, nederigen verheft hij! Lapo kijkt naar de zware man in zijn pauwblauwe fluweel, het cholerische rode hoofd, de beringde vingers... die trillen. Geen man voor wie hij een natuurlijke sympathie opbrengt... maar wel een man die zwaar in de zorgen zit.

Wat hij geleidelijk te horen krijgt geeft hem steeds nog het gevoel van thuis te zijn: het is het relaas van een familievete, in een formaat, zo bescheiden dat er in Florence amper een strafzaak van gemaakt zou zijn. Zo hebben ook de Ruspo's er aanvankelijk tegen aangekeken, en er niet dadelijk de rechtbank bij gehaald. Dat was dom, want in die eerste fase lag de schuld duidelijk bij de familie de Cabannes.

Arnaldo's jongste broer is student in Montpellier. Daar is hij twee jaar terug door 'Galli' overvallen, mishandeld en beroofd. Zijn hele kostbare boekerij hebben ze meegenomen. De aanvoerder, een medestudent, heeft de codices ondergebracht bij zijn broer en is gevlucht. Die broer was een aanzienlijke rechter – toen nog in Nîmes – die door niemand met de misdaad in verband werd gebracht... tot het uitlekte, zoals in een studentenstad alles uitlekt. Een rechter die gestolen goed heelt en dieven dekt! De Ruspo's hebben gewacht tot de man een ambtstermijn in Avignon kreeg te vervullen; toen sloegen Arnaldo en een neef hem op een donkere avond in elkaar. Ribben gebroken, schouder ontwricht, haar uitgerukt: zachtzinnig waren ze niet en ze lieten hem in zijn blote kont achter. De neef kon vluchten. Arnaldo is gepakt. Inmiddels is de overval in Montpellier, die de aanleiding was tot deze mishandeling, afgedaan als een onschuldige studentenrel: er was immers geen werk van gemaakt! Hij had zich bovendien onder een andere jurisdictie afgespeeld. Zo luidt de aanklacht tegen Arnaldo: bedreiging en geweldpleging jegens een rechter in functie, en daarop staan zware straffen. Op zijn minst kost het hem beide handen, plus een boete waaraan de familiebank failliet kan gaan. In dat geval kunnen de Ruspo's uitgewezen worden, een gelegenheid die de 'Galli' van de rechter zeker zullen aangrijpen.

Natuurlijk, Etienne de Cabannes is aanklager, en behandelt de zaak niet zelf. Maar de uitspraak, die zijn collega zal doen, wordt voorbereid door de 'notaire criminel', die volledig onder de invloed van Cabannes staat. Tijd winnen is het enige waar Arnaldo's verdediger naar streven kan. Als Cabannes niet langer in functie is heeft hij hoe dan ook minder invloed. Van de nieuwe paus wordt gezegd dat hij studenten een goed hart toedraagt. Een audiëntie bij Zijne Heiligheid... Maar Cabannes weet dat zelf natuurlijk ook allemaal. De uitspraak in de zaak di Ruspo wordt dan ook op korte termijn verwacht.

Als de bankier is uitgesproken blijft Lapo hem onthutst aan zitten kijken. Bevonden ze zich maar echt in Florence: dan wist hij hoe de verhoudingen lagen en bij wie er met geld en goede woorden iets te bereiken viel. Wat kan hij in Avignon beginnen? Het beeld van een hartverscheurend snikkende Monna Maria rijst dreigend voor hem op. De troost die hij messer di Ruspo te bieden heeft is maar flauw.

Maar de laatste woorden van de bankier zijn allesbehalve flauw.

'Van de dag waarop hij mijn jongen een haar krenkt zal hij de avond niet beleven,' zegt hij. Werkelijk: net als thuis.

'Monniken laten ze wel toe. Dit hier geef je aan de cipier, en dat daar aan mijn jongen. Ze laten hem voor alles betalen, tot het vlooienmatras toe waar hij op slaapt...'

De weg naar de gevangenis is lang, de tegenwind koud, Lapo's onvrede aanzienlijk. Een lafbek die een oude man kapot heeft geslagen, moet hij daar moeite voor doen? Akkoord, de oude man is een schurk. Maakt dat de overval minder laf? De bankier minder

›atserig? De chantage van Monna Maria minder doortrapt? *Ik vas toch je Dame?* Mijn Dame? De Dame van die rotjongen, al die aren, en ik, sul...

Verongelijkt gedram dat met één haal wordt weggeveegd als :en bootwerker – van het soort dat hier 'ribeyrier' heet – hem taande houdt.

'Was u het niet die gisteren naar de Sancta Martha uit Palma roeg? Ze is geënterd en afgevoerd. Sardijnen. Ze hebben een maroos aan wal gezet om het bericht door te geven. De passagiers? Die zullen wel vastzitten tot er een losprijs betaald is. Als er oudjes ›ij zijn is het de vraag of ze't navertellen. Tja, zo gaat dat. Saluut!'

Lapo Mosca loopt de eerste de beste kerk binnen en knielt voor ıet eerste het beste altaar; ook al omdat zijn knieën de neiging veronen om te knikken. Dankbaarheid kan evengoed in de benen laan als schrik. Waar is hij aan ontsnapt! Jaja, medelijden heeft hij ›ok, arme koetsgenoten: de oude tochtlijder, de jonge schuintap›er; en de volgevreten groothandelaren die voor de kapers de angst van het jaar moeten betekenen; en broeder Ubaldo natuurijk. Maar niet hij! Niet Lapo Mosca! En waarom niet? Omdat hij le Heilige Gehoorzaamheid ontdoken heeft, en zich bezopen ıeeft, en hem gesmeerd is... Zeg daar maar eens een gebed over ›p.

Als hij na enig verward gestamel zijn ogen opent is het eerste vat hij ziet een grote marmeren sleutel. Hij hoeft nauwelijks ho;er te kijken om te weten welke baardige heilige die sleutel vastıoudt. Een voorteken! Hij wist niet dat het een Petruskerk was die ıij binnenging. Op hetzelfde ogenblik realiseert hij zich: wat hem ıet meest aan het hart gaat is niet het lot van zijn reisgenoten, maar ıet tamelijk zekere verlies van het jaarverslag. Nu zal hij nooit veten wat er precies aan de hand is met die Petrusbrieven. Sint-Pieter zal er verder zelf voor moeten zorgen. Alsjeblieft, bidt hij, aat ze terechtkomen en laat er een heel belangrijke boodschap in taan. Als Lucifer de moeite van een brief neemt, kunt u toch niet chterblijven! Het zijn uw eigen opvolgers, die een waarschuving nodig hebben! Zorg dat ze die ontvangen! Het marmeren

gezicht boven hem kijkt niet onvriendelijk. Op het punt v
knipogen, zou je zeggen. Lapo keert tot zijn eerste aangelege
heid terug.

Hoe je het stelt: hij dankt zijn leven aan grof plichtsverzuim. J
wel, je hoort steeds dat de Heer uit het kwade het goede kan tre
ken. Maar pas op: het omgekeerde komt ook voor, kijk maar na
die voorbeeldige Ubaldo. Geen wonder dat Mirjams vader, ve
stoken van de Waarheid, het leven lukraak bepaald zag door e
raderwerk van sterren. Híj kan niet weten dat er geen mus uit e
boom valt zonder dat God het wil. Ubaldo's kaping kan daaro
niets anders betekenen dan dat Ubaldo zeerovers moet gaan bek
ren. En helaas, het verlies van Lapo's reiszak wil zeggen dat La
zich niet verder met de Petrusbrieven moet bemoeien.

Intussen: zijn redding – en niet zo maar een redding: een re
ding uit de wraak van de familie Senzabarba! – wijst er duideli
op dat de Heer hem ergens anders voor gebruiken wil. Een raa
sel! Hebt u me werkelijk gespaard voor zo iets onnozels als het lo
peuteren van een erfenisje? Het opsporen van een halfgekke wa
zegger? Het bevrijden van een stuk ongeluk als Arnaldo? D
mag u me waarachtig wel een paar betere aanwijzingen geven..

'Arnaldo di Ruspo?' herhaalt vijf minuten later de gevangen
portier. 'Die zit hier niet. Je bent bij het verkeerde gerechtsh
broeder. Het wereldlijk hof ligt om de hoek, rue de la Pelher
Hier ben je bij het hof van de Maarschalk. Dat behandelt alleen z
ken van mensen in dienst van de paus.'

'Geestelijken dus?'

'Welnee, uit welke leemkuil hebben ze jou getrokken? Geest
lijken hebben hun eigen rechtbanken. Wel een stuk of drie. W
zijn voor leken-curialisten en courtisans. Voor iedereen die i
met het hof te maken heeft dus. Al zijn het vissers of houtdrager.

Courtisans...? De portier heeft zich al omgedraaid als Lapo he
nog eens aan de mouw trekt: 'Dan is er hier zeker ook een ande
rechter?'

'Wat dacht je dan? Dat is de Maarschalk.'

Een aalmoezenier die het gebouw juist verlaat heeft medelijden met Lapo's open mond. Als courtisan, legt hij uit, geldt praktisch iedereen die zijn brood verdient aan het pauselijk hof zonder burger van Avignon te zijn. Hun rechter heet Maréchal. Hij wordt benoemd door de paus en treedt af bij diens overlijden: strikt genomen heeft dit hof dus momenteel geen opperrechter; maar de démissionnaire blijft in functie tot er een opvolger is. Uiteraard bemoeit hij zich alleen nog met lopende zaken.

De aalmoezenier is een Toscaan. Sterker: bij zijn eerste woorden heeft Lapo gehoord dat de man uit zijn eigen geboortestad komt: uit Lucca. Bereidwillig brengt hij Lapo naar de goede gevangenis. Ze lopen door de Franse stad in een vertederende wolk van thuisheid: 'Wat, heb jij ook bij meester Bamboglia op school gezeten? Heb je nog familie in Lucca? Ja, die heb ik gekend! Notenkoek uit de Garfagnana! Heb je die? Nou, die wil ik best eens bij je komen proeven...' Lapo heeft weliswaar ooit een tand gebroken op notenkoek uit de Garfagnana, en heeft beslist geen tweede exemplaar uit zijn beperkte voorraad te missen; maar alles wijst erop dat God deze stadgenoot met een snel gebaar op zijn pad gezet heeft. Misschien dat die stadgenoot met een even snel gebaar Arnaldo di Ruspo op de pauselijke loonlijst zou weten te zetten...?

'Haha, broeder, loop rond, dacht je dat mijn vader die truc niet al lang geprobeerd had? Iedereen in Avignon probeert de twee rechtbanken tegen elkaar uit te spelen. Maar mijn grootvader kreeg hier al burgerrechten in de vorige eeuw. Dan kun je geen courtisan meer worden.'

Arnaldo di Ruspo heeft weinig bewaard van de mooie gladde jongen die Lapo's afgunst opwekte: een uitgezwaarde man met een breed vlezig gezicht en bloedbelopen ogen. Hij heeft het meegebrachte geld uit Lapo's handen gegrist en het, met een argwanende blik, een schijntje genoemd. Aan de groeten uit Florence heeft hij geen boodschap. 'Maria, Maria... o, mijn nicht. Een eersteklas trut geworden, hè? Niet genoeg gekieteld in d'r leven.

Nou, je doet de groeten maar terug...' Hij keert terug tot zijn kaartspel, op en top het verlopen sujet dat Lapo zich voorgesteld had. 'Zeg hem dat ik aan hem denk,' heeft Maria gevraagd. Lapo heeft de woorden niet over de lippen kunnen krijgen. Het zou geweest zijn of hij haar naakt uitleverde.

Ondertussen is hij teleurgesteld door wat Arnaldo een afgezaagde truc noemde. Heeft God de aalmoezenier uit Lucca dan toch niet met deze bedoeling op zijn pad gezet? Of heeft oude Ruspo aan de verkeerde touwtjes getrokken? Het ene is al even onaannemelijk als het andere. Hoe het zij, hij moet zo gauw mogelijk notenkoek gaan proeven.

De gevangenis – een mannenzaal en een vrouwenzaal – bevindt zich op de bovenverdieping van het gerechtshof, evenals het cipiersverblijf en de martelkamer. Beneden hebben de verhoren plaats, worden civiele zaken geregeld en berust het archief. Het is betrekkelijk rustig hierboven: de zaal bevat voornamelijk arrestanten wier zaak in behandeling is. Kerkers voor lang gestraften bevinden zich elders; maar vrijheidsstraffen zijn over het algemeen niet populair in Avignon. Boetes brengen meer geld op en lijfstraffen nemen minder plaats in. Behalve Arnaldo en zijn maat zitten dan ook maar twee kerels zich te vervelen; een derde ligt ziek in een hoek.

Zo kan Lapo, nu hij toch hier is, in één moeite door enige werken van barmhartigheid verrichten. De beide gevangenen willen kennelijk graag bezocht worden en hun nood klagen. De ene, een potige slager, wordt ervan beschuldigd zijn buurvrouw de Rhône over gelokt te hebben en haar daar te laten tippelen, 'en dat op haar eigen verzoek, broeder, want haar man had niks te bieden.' Van dat eigen verzoek wordt nu nog een rechtsgeldige bevestiging gezocht. Ook de tweede arrestant is het slachtoffer van vrouwenontucht. Wijlen zijn vader heeft indertijd de minnaar van zijn echtgenote gecastreerd. Geoorloofd was dat weliswaar niet, maar justitie had er begrip voor. Tot bleek dat de vrouw een sloerie was, en de minnaar een uit velen. Toen kreeg de echtgenoot een boete waar deze zoon nu, twintig jaar later, nog steeds aan betaalt; of zou moeten betalen: hij is gearresteerd omdat hij het geld niet meer op kan brengen. Zijn grootste grief is dat de sloerie, zijn stiefmoeder, er vrolijk op los leeft. Ze is als weduwe teruggekeerd naar haar broer, en die betaalt geen cent. Samen bieden de twee gevangenen een 'moraliteit' over de Zonden van Eva en hoe men daar voor- en nadeel uit trekt.

Beiden brengen hun verhaal onmiskenbaar met verve, en zijn geïrriteerd door de afbreuk die daaraan gedaan wordt door het voortdurend gehoest van de zieke die in een hoek op een matras ligt. Als Lapo zich over de patiënt buigt ziet hij een muizegezicht, hoogrood van de koorts en bedekt met zweetdruppels. De zieke is niet veel meer dan een jongen. Tussen het hoesten door hijgt hij: 'Zeg tegen me moeder dat ze een andere hoestdrank brengt. Die vorige rommel helpt niet. Ze staat bij de poort. Ze laten d'r niet binnen, ze heeft geen geld. Peyronne. Peyronne van Beaucaire.'

Lapo herhaalt de naam en dan roept Arnaldo: 'Bespreek dan gelijk voor mij een andere hoer. Vraag naar Isabel van Brugge. Zeg maar tegen de cipier dat ik geld heb, dan mag ze erdoor.'

'Die boodschap zult u aan een ander mee moeten geven,' zegt Lapo hooghartig.

'O ja? En wat voor boodschap bracht jij dan uit Florence mee? Huichelaar!'

Later zal Lapo een interessant tweegesprek voeren met zichzelf over de vraag in hoeverre die scheldnaam van toepassing was; maar nu, terwijl hij de trap af loopt, is hij alleen vervuld van de naam die de zieke genoemd heeft. Die naam vertedert hem, ofschoon er tientallen meisjes in Beaucaire moeten zijn die Peyronne heten. Ooit, toen hij als speelman de jaarmarkt van Beaucaire bezocht, is er een maand lang een Peyronne in zijn leven geweest, een leuke levendige meid met ogen als kersen. Hij heeft in geen jaren aan haar gedacht. Wat zou er van Peyronne geworden zijn?

Dit.

Hij herkent haar onmiddellijk tussen de vijf of zes vrouwen aan de poort, ofschoon het een mager, hard gezicht is dat hem aankijkt, met 'kersen' die dof en verdroogd zijn. Vanonder een vuile muts steken weerbarstige grijzende pieken. De vrouw schiet op hem af:

'Was u boven? Hebt u mijn zoon gezien?'

'Ik heb hem vooral gehoord. Hij vraagt om een andere hoestdrank.'

'En waar moet ik die vandaan halen? Weet u een dokter die iets geeft voor niets?' Ze heeft aanstonds een kijfstem opgezet, haar armen komen in beweging, ze staat klaar voor het Theater van het Onrecht. De andere vrouwen voegen zich gewillig bij haar.

Lapo zegt zonder veel illusies: 'Als jij een goeie weet zal ík proberen hem te betalen.'

Het is niet het steekwoord waar ze op wacht, maar ze is wendbaar: 'Er bestaan geen goeie dokters. Kwakzalvers, allemaal. Als Monon niet gauw vrijkomt gaat-ie dood.'

'Vrijkomen? Als hij niet ziek was werd hij veroordeeld. Ze wachten tot hij beter is, heb ik begrepen.'

Een van de vrouwen zegt bedeesd: 'Er is een hele knappe jodendokter in de stad. Christenen kan hij alleen behandelen in het geheim. En voor niks doet híj het natuurlijk ook niet.'

Lapo's hart maakt een luchtsprong. De Creyssents terugzien! 'Ik beloof je een hoestdrank van die dokter! Alleen is hij nú op reis. Tot zolang haal ik wel iets uit onze kloosterapotheek.'

Hij rekent op een dankbare blik, maar de vrouw blijft ontevreden kijken. Eer hij zich uit de voeten kan maken begint ze breeduit haar tegenslagen op te sommen. De anderen trekken zich terug: Jeannette het Speelwijf, Marie het Schaap, Isabel van Brugge: hun eigen tegenslagen lijken op die van Peyronne als druppels water. Ook zij staan overal alleen voor, ook zij zijn weldra te oud om iets te verdienen, ook hun kroost heeft geen vader en raakt in slecht gezelschap. Het jong van Peyronne stond als kind al op de uitkijk bij inbraken. Later was hij het die door raampjes moest kruipen om deuren te openen. De hand- en spandiensten van alle arme kinderen, maar verder: geen vlieg zou hij kwaad doen! Alleen met zakkenrollen was hij niet handig en uitgerekend bij een rechter moest hij dat proberen! Die greep hem, voor een rechter is daar geen kunst aan, en op de koop toe was het de beul Cabannes.

Hoe het nu verder zit, dat heeft een 'sergent' van het gerechtshof haar uitgelegd. Cabannes treedt af over een paar weken. Voor die tijd wil hij alle zaken die nog onopgehelderd zijn afronden. Wat is er eenvoudiger dan een straatarm kruimeldiefje tot zondebok te maken? Een kelk uit een sacristie zou Monon gestolen hebben, drie ringen uit een bordeel, de lijkwade van een opgebaarde dode. Brand zou hij gesticht hebben bij de kardinaal van Auxerre en een borstkruis hebben gejat. Brandstichten! Hij! Monon is als de dood voor vuur. En als de dood voor doden: hij een lijkwade pikken?! Natuurlijk had hij bekend. Een kind! Onder tortuur bekent hij alles. Wie weet wat het monster Cabannes al met hem gedaan zou hebben als Peyronne zich het vuur niet uit de afgetrapte sloffen had gelopen, niet neergeknield was en gejammerd had waar maar en voor wie maar geknield en gejammerd kon worden. Van twee diefstallen had ze de ware dader opgespoord. Dat had enige indruk gemaakt. Maar om Monon vrij te krijgen was machtiger hulp nodig, en die was niet te betalen. Dan zou de hemel al moeten ingrijpen, en Cabannes met een bliksem treffen. Of iemand op aarde met... eh... een schoenmakerspriem bij voorbeeld, recht in zijn hart...

Lapo heeft het relaas met groeiend onbehagen aangehoord. Het zondenregister van Monon zit hem minder dwars dan de mogelijke leeftijd van de jongen. Schat die maar eens bij een zieke. Lieve God, laat hij alles zijn maar geen negentien...

'Leeft zijn vader nog?' vraagt hij op goed geluk.

'Weet ik het? Die heeft zich nooit meer laten zien. Was trouwens toch niet iemand waar je wat aan had. Een kermismuzikant! En dan nog een Italiaan! Die zou de zaak bij Cabannes alleen maar erger maken.'

Lapo geeft de vrouw de paar stuivers die hij op zak blijkt te hebben. Hij mompelt wat. Hij zet het op een lopen. Vlucht de geborgenheid van een kerk in. Dat het weer de St.-Pierre is ziet hij niet eens. Hij kruipt in een hoek, de handen voor de ogen. Als de koster gaat sluiten zit hij er nog.

'Koorts en hoesten,' herhaalt de ziekenbroeder, en bladert in zijn receptenboek, een brilletje op de punt van zijn neus.

'Koorts is warm/droog, dus daar moeten we iets kouds/vochtigs tegenover stellen. In elk geval dus kompressen van koude slakkenpap om de polsen leggen. Dadelsap schijnt ook te helpen, maar ik heb geen dadels. Sap van citroenen en komkommers, daar is misschien aan te komen. De keel. Is de keel ontstoken? Dan geef ik je wat uiensmeersel mee, dat geeft dikwijls verlichting. Maar hoest... hoest is moeilijk. Spinazie staat hier. Zelf heb ik wel verbetering gezien door een aftreksel van klein hoefblad. Daar groeit nog wel wat van in de kruidentuin.'

Lapo kijkt mee over de schouder van de medicijnman.

'Het *Theatrum Sanitatis*! Maar die schrijver... Ububchasim, of hoe heet hij... die is toch al driehonderd jaar dood!'

'In Montpellier werken ze er nog steeds mee,' zegt de broeder gepikeerd. 'Maar natuurlijk, als jij het beter weet...'

'Nee, nee, geef alsjeblieft alles wat je denkt dat helpt. Spinazie met hoefblad en uien en komkommer en slakkenpap...'

De kloosterapotheek ligt in een zijvleugel en ziet met een raampje uit op een steeg. Terwijl de ziekenbroeder in de weer is met kruiden en filters staat Lapo naar buiten te kijken. Zelfs dat er niets te zien is dringt niet tot hem door. De steeg is zwart en leeg, hier en daar dringt een flauw schijnsel door een kier van de luiken; het meeste licht valt nog uit zijn eigen kloosterraam. Hij schrikt op als hij om hulp hoort roepen. Het geroep komt dichterbij. Uit het donker maken twee mannen zich los die iets spartelends voortslepen. Een vrouw: zij is het die jammert. Bijna onder het kloosterraam wordt ze op de grond gesmeten, een van de mannen werpt zich boven op haar, de ander houdt haar armen vast. Als de vrouw gilt stopt hij een prop in haar mond. Nu is alleen nog de obscene taal van de verkrachter te horen. Links en rechts gaan luiken open. Mensen houden lampen omhoog. Niemand komt de vrouw te hulp. Lapo snelt naar de buitendeur, maar de portier weigert te openen: dan had dat wijf maar niet alleen over straat moeten gaan... Aan de andere kant van de deur lijkt nu de tweede kerel zijn gerief te halen. Dan eindelijk klinkt er wapengekletter en zijn de stadswachters in aantocht.

God schiep de mens en de duivel hing er een lul aan. Toen was God zo goed niet of hij vormde een ribbe om tot vrouw, opdat het aanhangsel ergens voor kon dienen. Zoals met alle duivelsspeelgoed werd er door de mensheid veel lol aan de lul beleefd... tot het moment waarop de rekening gepresenteerd werd en de vrolijke vrijers ontdekten met welke verantwoordelijkheid ze ongemerkt waren opgezadeld...

Een zoon. Door het donker van zijn cel ligt Lapo Mosca zijn haveloze verleden in te kijken. Een janboel vol blunders en verslonsde voornemens. Moet daar nu ook nog een zoon bij, en dan dit exemplaar: een miezerig crimineeltje waar niets meer aan te verhelpen valt? Peyronne heeft hem niet herkend. Aanvankelijk was hij daar blij om. Nu beseft hij: dat doet niet ter zake. Hij moet weten of ze die jongen werkelijk aan hém heeft overgehouden, en dan zal hij iets moeten ondernemen. Ze kan liegen. Ze kan zich vergissen. Waar blijven anders de warme trillingen in zijn borst? Het aantrekken van de banden des bloeds? Alsjeblieft Heer, laat het mijn zoon niet zijn...

Hij slaapt onrustig. Een keer droomt hij van een os die een eg over de akker trekt. Is hij het zelf met de eg van zijn herinnering achter zich aan? Maar hij is allesbehalve een os... Een volgende droom gaat over Avignon, maar het is het andere Avignon, het vrolijke Avignon van twintig jaar geleden. Daar blijft hij aan liggen denken terwijl de mistral, aangewakkerd, door de stegen giert.

Laat ons dansen, laat ons spelen
op de eerste lentedag.
Lammeren blaten, vogeltjes kwelen.
Laat ons dansen, laat ons spelen!
'k wil mijn herderinnetje strelen
tot mijn ram de stal in mag.

Laat ons dansen, laat ons spelen,
morgen komt er weer een dag.

Dong! Dong! doen de tamboerijnen, tiereliere de vedels, en hop!, springen maar, hier volgt een huppeldans!

Rondelen, rondelen! Het is in Frankrijk dat Lapo zijn liefste versvorm leerde kennen. Nog dringen de wijsjes-van-toen niet uit hun geheimzinnig reservoir zijn geheugen binnen, of daar staat hij ook zelf weer in zijn speelmansplunje. En ja... daar is de villa van de kardinaal die een feest geeft ter ere van de jonge paus Clemens. Een eetzaal. Wanden bedekt met tapijten, tafels bedekt met damast. Ridders en pages draven met kruiken en schalen. Er is al bekend hoe hun tafeldienst straks wordt beloond: met zilveren gordels en beurzen vol florijnen. Die voorkennis drijft de prestaties omhoog op de speelmanstribune: bij zoveel 'largesse' wordt ook de muziek niet vergeten!

Nauwlettend houdt Lapo van Lucca het verloop van de maaltijd in het oog; met name de gangen die halfvol de keukens weer in gaan: daar stelt hij terloops alvast zijn menu uit samen, al vedelend, rinkelend, zingend. Er was een pastei, gevormd als een vesting, daaruit kwam een gebraden hert te voorschijn, compleet met gewei; plus een zwijn en verschillende geiten. Tientallen vissoorten heeft hij geteld, en kraanvogels, zangvogels, pauwen. Nesten vol eieren, wagens vol kaas. Een fontein waar vijf soorten wijnen uit spoten. Twee boompjes ten slotte, het ene, van zilver, met vruchten, het andere, goud, met konfijten. Dat was het dessert; daarna de geschenken. Een spierwitte volbloed voor Clemens, voor de anderen kostbare ringen.

De paus trekt zich terug, zijn gevolg loopt naar buiten, het speelvolk stommelt het trappetje af. Toernooien, bal op het gras, met vedelaars, toeteraars, zangers, dwalend door de bosschages. De tuin glooit omlaag naar de Sorgue, een brug ligt erover, pas op! Betreed haar, dan kiept ze, en de gast ligt in het water. Geschater is niet van de lucht.

Lapo van Lucca: hij vedelt en zingt, hij zuipt en hij zoent. Hij wordt wakker in een schuur als het licht is, en de plaats van het wasmeisje naast hem al leeg; maar de fooien en nieuwe kleren die hem tot hoofdkussen dienden, die liggen er nog. Is het niet goed geregeld allemaal? Kardinalen smijten met goud en arme slokkers leven er goed van.

Nee, zo heeft hij intussen gelezen, goed geregeld is dat niet.

Hoort toe, hoort toe!, heeft Jean van Roquetaillade geroepen. O prelaten, jullie kleding is te weelderig. Jullie vertrekken hangen vol wandkleden en schilderingen. Heidense fabels vol ontucht omgeven jullie purperen bedden. Jullie kerken en paleizen staan krom van de overdaad! Wat zal ik zeggen van jullie paarden en jachthonden en valken? Wat zal ik zeggen van jullie hoeren en lustknapen? En wat van de honger, de ziekte, de ellende waar jullie dwars doorheen lopen zonder zelfs te kijken? Voorwaar, nabij is de dag van het grote wenen, waarop aan elk van u rekenschap zal worden gevraagd.

Helaas, ja zo is het, amen, fiat.

Het wasmeisje: Peyronne uit Beaucaire. Geen week na het feest bij de kardinaal begon in Beaucaire de julimarkt. Om die markt vooral was Lapo van Lucca naar de Provence gekomen: voor een speelman gaat er nauwelijks iets boven een jaarmarkt, ook als hij geen vuur vreet of een beer laat dansen. Nog was Beaucaire niet in zicht toen hij, varend vanuit Avignon, het lawaai al hoorde en de geuren opving van houtrook en gebraad.

Beaucaire in de hete julizon! Driehonderdduizend bezoekers uit alle delen van de wereld. De huizen, vol vlaggen en groen, dienen zich stuk voor stuk als herbergen aan. Voor wie daar niet meer terecht kan zijn de honderden barken aan de kade er nog; zelfs boten uit Bretagne zijn erbij, en uit Gascogne.

In deze dagen heeft iedere straat zijn eigen commercie. Er is een wijnstraat, een olie-en-zeepstraat, een bijouteriestraat. Er zijn straten met laken en kant en zij, met wapens, met potten en pannen, met touwwerk en zadels. Langs de kaden en op de schuiten staan kramen te geuren naar zuidvruchten en kaneel; en er is speelgoed te koop en reukwater, hoeden en schoenen, manden en hamers. Tot ezels en paarden toe. Jazeker, een paard! Geloof het of niet, Lapo van Lucca heeft er een paard gekocht. Hij heeft er een blauwe maandag op rondgereden, zijn lief Peyronne achterop, en het toen weer van de hand gedaan. Aardig paard. Wie weet wat ervan geworden is; van dat paard...

Peyra. Ze was het eerste wat hij zag toen hij van boord ging. Gewoon, omdat ze er woonde? Gewoon, omdat ook voor haar een jaarmarkt een werkterrein was? Hoe dan ook, ze liet er geen gras over groeien, gaf hem een arm, loodste hem door de drukte. Begon meteen over het feest van de kardinaal, meer in het bijzonder over de schuur van de kardinaal: daar had ze hem lief gekregen.

Ze loog natuurlijk. Ze had de fooien gezien die hij had ontvangen, en het gemak waarmee hij ze uitgaf.

Of loog ze maar voor de helft? Klanten aan wie wat te verdienen viel liet ze lopen in die weken: het was met Lapo dat ze optrok. Een zonnehoed heeft ze voor hem gevlochten, een met kleurtjes, hij ziet hem opeens weer voor zich. En gekookt heeft ze voor hem, dat leek nergens naar. En gelachen, gelachen, gelachen.

Een griet van plezier, Peyronne. Ze had al een kind toen ze dertien was. Het woonde bij boeren, zijn ze er samen niet op het paard naar toe gereden? Een week, een maand van kermisvieren en kermisvrijen, toen was de jaarmarkt voorbij. Lapo kan zich met de beste wil niet herinneren dat er tranen geplengd zijn bij het afscheid, laat staan beloftes gewisseld. Hoe is het leven van een zwervende speelman: jaarmarkt hier, stadsfeest daar, bedevaart ginder; en waar werk was, was vrouwvolk.

En Peyronne van Beaucaire? Voor Lapo nam ze een ander. Gewonnen en geronnen. Verkruimeld en vergaan.

De Gallus: Haan of Galliër? Daar zit hij dan in persoon. Hij mist in elk geval het postuur van een Vercingetorix; maar de scherpe bek van een haan, dat zou kunnen.

Bij de poort van het gerechtsgebouw hingen ditmaal geen vrouwen rond, en Lapo kreeg geen toegang tot de arrestanten. Beneden waren verhoren aan de gang. Toen hij hoorde dat rechter Etienne erbij aanwezig was en publiek werd toegelaten, gaf hij de medicijnen voor Monon af aan een cipier.

Het duurde even voor hij, tussen de hoofden van medetoeschouwers door, had vastgesteld wie van de machthebbers op het podium de beruchte rechter was. Niet de agressieve prater: dat was ongetwijfeld de 'notaire criminel', die de processen voorbereidde en nu bezig leek aan een samenvatting. Die kleine grijskop naast hem, die zo verbeten keek en soms een opmerking blafte: dat moest Cabannes wezen; de overige personen leken meer op griffiers en deurwaarders. Een mager, gedreven gezicht. Cabannes. Een man om te vrezen.

Voor zover Lapo het proces kan volgen gaat het alweer om een burenruzie en alweer om de zonden van het vlees: niet zo verwonderlijk in een dichtbevolkte heetgebakerde stad. Ditmaal is de beklaagde geen smid, maar een eveneens potige leerlooier. Toen zijn bejaarde buurman voor de zoveelste keer kwam klagen over de onvermijdelijke beroepsstank, heeft de looier hem opgepakt en over de schutting gegooid. Sindsdien liet buurman zijn bezoeken uit het hoofd: als hij iets te klagen had stuurde hij zijn vrouw, die wel vaker iets van mannen gedaan kon krijgen. Deze keer kreeg ze te veel gedaan: ze wou zelfs helemaal niet meer terug. Samen met haar leerlooier trachtte ze haar man het huis uit te pesten, en ten slotte zouden ze samen getracht hebben hem te vermoorden. Over die moord gaat de aanklacht, en voor zover Lapo, als laatkomer, de bewijzen kan beoordelen zijn ze zwak. De oude echtgenoot is half blind, hij kan zelf het rattengif met zijn geneesmiddel verward hebben, in elk geval zou de zaak veel nauwkeuriger uitgezocht moeten worden. Maar voor de notaris lijkt de schuld van de overspeligen vast te staan, en het is overduidelijk dat hij in die mening gesterkt wordt door de giftige opmerkingen van rechter Cabannes. Het lijkt juist te zijn wat Lapo gehoord heeft: de 'notaire criminel' is eenvoudig een werktuig in de ijzeren hand van Etienne de Cabannes.

De zitting wordt tijdelijk geschorst en het publiek drentelt naar buiten. Lapo raakt in gesprek met de dikke man die naast hem stond, en die het voordeel heeft aanklager en beklaagden persoonlijk te kennen. Hij gelooft geen ogenblik in de moordpoging, en de omwonenden ook niet, zegt hij. Maar de leerlooier heeft pech: rechter de Cabannes is zelf zijn jonge vrouw aan een buurman kwijtgeraakt. Geen leerlooier: een pennelikker op een pauselijk bureau. Hij heeft het meisje lezen en schrijven geleerd, wat ze van haar man niet mocht. Voor hij haar nóg het een en ander leerde hadden ze wijselijk laten vaststellen dat haar huwelijk met Cabannes in al die jaren niet voltrokken was. Als maagd kon ze haar pennelikker huwen met de zegen van de Heilige Kerk, zonder dat de rechter er iets aan kon doen. Nu koelt hij zijn woede op alle andere weggelopen vrouwen en verliefde buurmannen... En op Italianen, want de pennelikker komt uit de buurt van Florence. Vandaar de Franse liga, oppert de dikke man.

Vandaar? Lapo haalt zijn schouders op. Bij hem thuis houden sommigen altijd nog vol dat de bloedige burgerstrijd tussen Guelfen en Ghibellijnen voortgekomen is uit een ordinaire liefdesruzie tussen twee adellijke families, anderhalve eeuw geleden. 'Als dat de enige reden was,' zegt hij, 'waarom telt de Galli-partij dan zoveel aanhangers?'

Ook de dikke man haalt de schouders op. 'Ach, hoe is dat met vreemdelingen. Iedereen heeft wel wat tegen ze, ook als het niet direct om broodroof gaat. Ze praten anders, ze hebben andere gewoontes. Neem mij nou. Links van me wonen mensen uit Picardië en rechts van me wonen mensen uit Brugge. Rustig volk, zelfs van hun kinderen merk je weinig. Maar boven me wonen Milanezen en tegenover me Romeinen. Dag en nacht lawaai, eeuwig ruziënde wijven en jattende kwajongens. Ik ben niet zo iemand die schreeuwt: de Rhône in met jullie! Maar als we jullie nou es bij mekaar zetten met een flinke muur eromheen, net als bij die jodenmensen: dan werd het leven een stuk rustiger hier. Volgens mij verdween die liga dan ook vanzelf. Zeker als Cabannes er niet meer is...'

''t Is dat je het zegt van dat lawaai,' zegt Lapo een beetje kwaad. 'Daar hebben jullie anders ook verstand van. Ik voor mij hoor amper verschil tussen jullie en ons.'

'Welnee, broeder, ik ook niet. Dat is het juist. We hebben meer dan genoeg aan ons zelf...'

De zitting wordt voortgezet, maar Lapo heeft voldoende gehoord. Hij heeft in de rechter een mensentype herkend dat ook nogal eens bij theologen voorkomt, speciaal onder inquisiteurs. Ze hebben altijd gelijk, een gelijk van bazalt, verpletterend en niet te weerleggen, waarmee ze iedereen naar hun hand zetten. De Italiaanse minderheid kan nog een hoop narigheid van hem beleven; ook Lapo zelf heeft hij het aan narigheid niet laten ontbreken. De enige opdracht die niet op de een of andere manier door de Gallus gedwarsboomd wordt is de speurtocht naar de verdwenen Jean de Roquetaillade. Tot dusver ontbreekt het de speurder aan aanknopingspunten. Ooit heeft de profeet gevangen gezeten in een kerker van de paus. Misschien dat het onderzoek daar kan beginnen. Hij richt zijn stappen naar het paleis.

De vesting van Gods stedehouder ziet er anders uit dan een paar dagen terug. Drommen mensen stromen de poorten in en uit. Touwladders hangen van de kantelen en uit de ramen, en daar staan schoonmakers op om de muren te schrobben. Zelfs vanuit de schietgaten zijn ze in de weer. Habemus papam! Op de torens worden de eerste draperieën al bevestigd. Om langs de poortwachters te komen is het niet eens nodig om een gewichtig ik-hoor-hier-gezicht te trekken: voor de indringer het weet staat hij op de binnenplaats, in het stof dat uit de tapijten geklopt wordt. Er worden kurassen gepoetst en meubels gewreven, het ruikt er naar was en het roezemoest er als op een volksfeest. Lapo kan ongestoord rondlopen. Links rijst het oude paleis omhoog. Streng, kil, kleine ramen, weinig schoorstenen: het bouwkundig credo van een sobere cisterciënzerpaus. Rechts de nieuwbouw van zijn opvolger Clemens: vrolijk, uitbundig versierd, een en al spitsboog. Wie hier als nieuwe stedehouder Gods zijn intocht houdt rijdt een keuze binnen. Een hele stad, een hele christenheid wacht ademloos op de beslissing.

Het paleis ligt nauwelijks hoger dan de gebouwen rondom. Toch heeft Lapo het gevoel op een andere verdieping te zijn beland. Beneden liggen alledaagse, concrete problemen ten grondslag aan gesprekken en conflicten. Hierboven krijgen ze de afmetingen van een wereldgebeuren. Groter: van het Voorlaatste Oordeel. Waar curieprelaten over het plein slenteren, druk en gedempt discussiërend, vangt Lapo meer dan eens de naam Rome op. De nieuwe paus is hier een oude bekende, hij heeft kerkelijk recht gedoceerd in Avignon. Reeds toen moet hij gezegd hebben dat toekomstige opperhoofden van de Heilige Kerk de naam Urbanus zouden moeten kiezen omdat Rome, de Urbs, hun ware bestemming is.

Lapo Mosca dwaalt door trappehuizen en zalen, op zoek naar iemand die hem inlichtingen verschaffen kan. Kardinalen komen uit studeervertrekken, notarissen met dossiers achter zich aan. Bisschoppen uit allerlei landen converseren in de taal zonder grenzen, het Latijn. Gezanten uit Frankrijk en Engeland doen alsof ze de tussenkomst van een tolk nodig hebben omdat zij in oorlog zijn; in werkelijkheid spreken ze allebei Frans. Hoe zouden ze Lapo kunnen inlichten? Ze zien hem niet eens.

Wachtzalen, wapenzalen, eetzalen. Een audiëntiezaal, en nog een. Is het hier dat ze broeder Jean hebben verhoord? Een passerende lakei haalt de schouders op: hij is, als de meesten hier, van na de laatste pest. Hoog op stellingen zijn schilders aan het werk. Ze kakelen druk met elkaar: Italiaans. Het moeten leerlingen zijn van de grote meester Giovanetti uit Viterbo. Courtisans!, denkt Lapo jaloers. Cabannes krijgt ze nooit te pakken, al zijn ze nog zo Italiaans. Niemand krijgt hij te pakken, in de hele gigantische ruimte niet. Van hoog en paars tot laag en grauw zijn ze pauselijk: kanseliers, schrijvers, artsen, leraren, zangers en zaalvegers. Kamerheren, servies-meesters, waskaars-meesters, klokkeluiders en leerling-klokkeluiders. Een hele zaal met kleermakers zit gebogen over de garderobe van de nieuwe soeverein, aan de hand van een uit Marseille aangevoerd model. Een jury van ceremoniemeesters inspecteert ontwerpen voor serviesgoed, voor borstkruis, mijter, ring en staf. Onzeker vergelijken ze jaspis, saffier, topaas, smaragd: de voorkeur van Zijne Heiligheid is niet bekend. Persoonlijk onderscheidt abt Grimoard juwelen nauwelijks van glas of kiezelstenen, hoort hij een oudgediende zeggen, maar voor Ambt en Eredienst is enkel het kostbaarste goed genoeg. Elders is het atelier van de bontwerkers, en ook daar is de stemming besluiteloos: tot dusver was Grimoard even afkerig van dierevellen als van dierevlees. Waar moeten ze dan zijn staatsiegewaden mee afzomen, zijn schoenen, zijn slaapmuts? Waar zijn de tijden van Clemens gebleven, voor wie ze meer dan duizend hermelijnvellen mochten verwerken...?

Dwalend dringt Lapo zelfs tot in de privé-vertrekken van de vorige pausen door. Alles is er overhoop gehaald, niemand houdt er toezicht. Alleen de beschilderde wanden zijn ongerept. Een sprookjesbos met bomen vol uitheemse vogels op cirkelvormige takken, een ander vertrek van onder tot boven met jachttaferelen. Visvangst, een valkenier, een... warempel, daar, blootsvoets schrijdend over de knoesten van een olijf, staat Colas Cuelhauzelh, de Vogelplukker. Als een acrobaat houdt hij zich in evenwicht, zijn rechterhand omvat een smalle boomtak, en met de welbekende lange, dunne vingers van de andere hand reikt hij naar een bange vogel. Niet meer dan een jongen, het dunne, doffe haar van nu golft dik en bruin om zijn hoofd; maar zijn blik heeft de starre concentratie die Lapo ook in de okergroeve al zo onaangenaam trof. Hij maakt meteen rechtsomkeert, alsof de Anti-Frans van de muur zou kunnen komen om ook hem te doen verstarren. De aanblik heeft de intensiteit van een wezenlijke confrontatie. Het is op slag afgelopen met Lapo's nieuwsgierigheid. Wat moet hij hier? Denkt hij het nieuws over broeder Jean in een pauselijke slaapkamer te vinden?

Hij vindt het ten slotte in een pauselijke keuken. Niet die van Zijne Heiligheid zelf maar de grote, die voortdurend in gebruik gebleven is en de honderden ambtenaren van voedsel voorziet...

alsmede de pauselijke gevangenen. Het is er rokerig en vuil, het reinigen van schotels en vloeren schijnt vooral aan huisdieren te worden overgelaten. De *magister coquine*, belang- en omvangrijk zoals de traditie vereist, neemt provisielijsten door met een pauselijke inkoper. Als de tekenen niet bedriegen valt het zwaartepunt straks weer op gezouten wallevis en ossepastei, net als twee pausen geleden; wat voor eer is daaraan te beleven voor een kok? Lapo beproeft zijn geluk bij een bejaarde hulpkok die half zit te slapen met een kat op zijn schoot, en eindelijk!, daar heeft hij iemand te pakken. De hulpkok heeft jarenlang gaarkeukenvoer verstrekt aan een franciscaanse profeet in de kerker van de Sultan; zo heet de beruchtste gevangenis waar zowel het hof van de Maarschalk als de zuiver kerkelijke rechtbanken hun veroordeelden in lozen. Hij geeft Lapo een koksmaatje mee dat hem in het bijbehorende cipierskwartier brengt, en ook daar vindt hij iemand die Jean de Roquetaillade heeft gekend. Een heilige, wordt hem verzekerd. Klagen deed hij zelden, zijn slechte gezondheid en zware ketenen ten spijt; zelfs over het grove eten niet, dat hij nauwelijks kon verdragen. Als weldoeners hem van perkament en inkt voorzagen schreef hij het ene boek na het andere in de ellendige vensternis waar hij zijn heenkomen gezocht had; en het waren diepzinnige boeken ook, is de cipier verzekerd; ondanks zijn boeien, en het lawaai en de plagerijen van zijn vijanden! Heilig! Of misschien ook wel gek. Vijf jaar terug is hij op een haar na bezweken. Toen heeft de kardinaal die sinds jaren zijn doodvonnis tegenhield hem weg laten halen, waarheen, dat weet de cipier niet. Wie de kardinaal was weet hij ook niet, maar een collega komt hem te hulp: het was niemand minder dan Elie Talleyrand de Périgord. De naam wordt met diepe eerbied uitgesproken. Lapo knoopt hem in de oren en verzwijgt dat hij van dit personage nog nooit heeft gehoord.

Een van de bewakers neemt hem mee, een wenteltrap op naar een raam vanwaar hij de gevangenis van de Sultan kan binnenkijken. Het zit en ligt er vol mensen, allen geketend, sommigen scheldend en anderen huilend. Enkelen zijn in een dwangbuis gesloten. De cipier wijst op een naakt mensrestant dat zich niet kan bewegen.

'Een weggelopen benedictijn uit Engeland. Nog veel gekker dan broeder Jean. Die heeft onder hem geleden. Hij zat in dat hokje boven hem, bij het raam. De gek kon uren tegen hem krijsen. Heeft hem bekogeld met uitwerpselen, verwond met een stang, zijn hele wang opengereten, hem het werken onmogelijk gemaakt. En maar schelden... wil je eens wat horen?'

De cipier maakt een toeter van zijn handen en brult, boven het lawaai uit, in het Engels: 'Heretic! Heretic!'

Waarop het mensrestant direct terugkrijst: 'Tic-tic-tic! Heretic-tic-tic-tic! Heretic...'

'Ketter,' vertaalt de cipier, terwijl ze de wenteltrap weer af wentelen. 'Dat is-ie natuurlijk zelf. Een aartsketter. Maar broer Jean dacht dat het op hém sloeg. Hij had er veel verdriet van...'

Het cipierslokaal is nu leeg. Lapo's begeleider vergewist zich daarvan voor hij half fluisterend opmerkt: 'Een beroep als het mijne, dat zet je aan het denken. Wat daar binnen zit ga je vergelijken met wat vrij rondloopt. Het is niet goed dat een geleerde als broer Jean op die manier behandeld wordt. En dan door de paus zelf. Terwijl hij geeneens veroordeeld was...'

Hij kijkt nog eens om zich heen.

'U weet van die duivelsbrief...? Dat de duivel zijn dochters naar het hof zou sturen. Hoogmoed was erbij, en Gierigheid, en Wellust; en Simonia natuurlijk. Kent u die, Simonia...? Alle ambten en aflaten en absoluties en weet-ik-veel, daar vraagt ze geld voor... Broer Jean heeft me dat uitgelegd.'

Zelf kent het tweetal mevrouw Simonia natuurlijk alleen van horen zeggen; waarmee niet beweerd is dat de cipier de stuiver zou weigeren die Lapo nog ergens onder uit zijn zak opdiept.

De 'livrée' van Elie kardinaal Talleyrand is gevestigd in de rue Banasterie, vlak bij het paleis. Op het secretariaat heerst de dagelijkse drukte van afwerende portiers, en van auditores, notarissen en zegeldragers; maar het woongedeelte van het gebouw is gesloten.

De laatste jaren woont de oude kardinaal zoveel mogelijk in zijn villa aan de overkant van de Rhône. Daarvoor is de dag inmiddels te ver gevorderd, Lapo gaat naar zijn klooster.

Denkt hij. Niet ver van huis zegt, vanuit een portiek, een vrouwenstem: 'Lapo van Lucca.' Hij verstijft.

'Ik herkende je aan je manier van lopen, gisteren, toen je wegging,' zegt Peyronne triomfantelijk. 'Voor anderen is je vermomming goed genoeg, maar niet voor mij.'

Lapo produceert een flauwe glimlach. Ze vervolgt: 'Maar je weet natuurlijk ook niet meer wie ík ben...'

Lafhartig grijpt hij zijn kans: 'Natuurlijk wel! Jij sprak me gisteren toch aan? Je bent de moeder van die zieke jongen.'

'Precies,' zegt ze triomfantelijk, 'en jij bent z'n vader. Ik ben Peyra. Peyra uit Beaucaire, weet je niet meer?'

Het zweet is Lapo uitgebroken. De vrouw wil hem omhelzen, kan niet geloven dat zijn minderbroederspij 'echt' is ('Kom nou! Zo'n vrolijke levensgenieter!') Ze zit meteen vol plannen. Wat moet hij met haar beginnen? Hij mag in haar gezelschap niet gezien worden, zeker niet vlak bij het klooster. Avignon krioelt weliswaar van vrijende geestelijken, maar hem zou gardiaan Hugo subiet de deur uitzetten, blij met het voorwendsel. Peyronne praat opgewonden door zijn verwarring heen. Ze heeft zo gebeden dat hij terug zou komen! Samen krijgen ze Monon wel vrij. Nu kan hij gewoon naar de paus gaan, naar de nieuwe, en uitleggen dat het allemaal niet waar is wat ze van zijn zoon vertellen...

Met al zijn krachten graait Lapo Mosca zijn op hol geslagen hersenen bij elkaar. Hij waarschuwt de vrouw voor een dergelijk verhaal. Ze kan het belang van Monon niet ernstiger schaden dan door hem als monniksbastaard voor te stellen, want dat maken ze er natuurlijk van. Ze kan niets bewijzen en indruk maken doet ze ook niet: wie van de liefde leeft loopt kinderen op. 'Zelf geloof ik er niets van,' zegt hij, zonder veel overtuiging. Peyra's glimlach verdwijnt. Haar klauwen komen te voorschijn: een moederdier in de verdediging. Ze zal hem wel krijgen als hij Monon niet helpt! Naar de Inquisitie zal ze gaan! Dat hij een ketter is zal ze zeggen!

Ze heeft hier kerels zien verbranden met net zo'n pij aan. Ze zal zeggen... Maar ze huilt erbij, en het gebaar waarmee ze haar tranen wegveegt, die handrug over haar ogen, ontroert hem, hij herkent het van vroeger; blijkbaar heeft ze indertijd toch een keer staan huilen?

Zijn gevoel beduveld te worden wint het van zijn medelijden. Peyra moet goed weten dat ze hem nooit meer terugziet wanneer ze hem als vader gaat doodverven, waarschuwt hij. Als hij iets voor Monon onderneemt, dan uitsluitend omdat het háár zoon is. Woont ze nog steeds in Beaucaire?

Haar huis staat in Beaucaire, maar ze is hierheen gekomen toen Monon gepakt werd. Monon is in Avignon geboren, in Avignon hebben ze hem gevangen gezet. Ze heeft onderdak gevonden bij de Repenties, een klooster van bekeerde hoeren. Het smerigste werk laten ze haar opknappen voor het schimmeligste brood. Daar, belooft hij, zal hij haar opzoeken zodra hij iets weet.

Maar zal hij ooit iets weten, iets positiefs, iets waarmee moeder en zoon zijn geholpen? Hoofdschuddend vervolgt hij zijn weg. Helemaal onschuldig is die Monon in geen geval: een deel van de straf die hem wacht heeft hij bepaald niet gestolen. Wat de rest betreft, hoe zou een armzalige analfabeet, een hoerenzoon, een niets, kunnen ontkomen aan wat een onrechtvaardige rechter hem in de schoenen belieft te schuiven? Cabannes zou zijn nek al moeten breken, wil Monon de dans ontspringen...

'Hoort toe, hoort toe! De dorre draak keert terug naar zijn hol. De bloedrode vos zwerft voort door de bossen. Het everzwijn slijpt zijn tanden aan de rots. En de zilverbaardige bok dringt het slot van de echtbreekster binnen. Wat is de zin van dit alles? De wijze Merlin heeft gesproken...'

Hoe de wijze Merlin gesproken heeft wil Lapo niet meer te binnen schieten, hij moet over de folianten van Jean de Roquetaillade in slaap zijn gevallen. Jeans duidelijke voorliefde voor profetisch beestenspul kan hij niet delen. Hij is een eenvoudig mens, wat hij graag zou willen weten is concreet: wanneer komt hij nou, die Antichrist? In welke gedaante? Vergaat de wereld dan, en waar begint dat proces? Zulk soort dingen... Eigenlijk heeft hij ook een klein vraagje over Jean zelf: is de man geleerd of gewoon gek, en misschien toch een beetje een heretic-tic-tic...?

Lapo Mosca loopt over de Rhônebrug. De brug is gebouwd door een heilige die schaapherder was van zijn vak en geen metselaar; ze is dan ook niet al te stevig en heeft het al eens begeven. Voor alle zekerheid is er daarom boven de tweede pijler een kapel voor Sint-Nicolaas gebouwd, die in elk geval een heilige is met verstand van water en scheepsvolk. Tevens doet hij dienst als douanier: voorbij de kapel begint Frankrijk.

Het is niet druk op de brug. Ze dient voornamelijk voetgangers, al kan een voorzichtige ruiter er ook overheen. Het zijn vooral 'moines, ânes et putanes' die er gebruik van maken, spotten ze in de stad. Monniken, ezels en hoeren: wat dat betreft is Lapo Mosca er geen opvallende verschijning... behalve vandaag. Vandaag wordt het betreden van de brug sterk afgeraden. Er dreigt gevaar. Het regent al dagen in de Cevennen, waarschuwt de brugwachter. Dat betekent hoog water in de rivieren daar. Als die hele zaak de Rhône af komt stijgt het peil hier bijna zonder overgang een twintig tot dertig voet. Dan beukt de rivier als een moker tegen de pijlers en haalt uit naar alles wat zich op de brug bevindt. De 'klappen van de Ardèche' hebben dan ook al aan menige passant het leven gekost. De verspieders in de toren van de kathedraal zoeken daarom op dagen als deze meer naar een vloedgolf dan naar legerbenden; maar het zicht is niet helder. De broeder moet in elk geval maar stevig doorstappen. Behouden bereikt hij de overkant.

Villeneuve heet het hier, en het is er beter toeven dan in de stinkende stad. De lucht is er zuiverder, het verkeer rustiger; de brugwachter aan deze zijde somt met welgevallen de elite op die hierheen is uitgeweken. Als Lapo wat hoger komt en het een beetje opklaart krijgt het grimmige pauspaleis aan de overkant iets goudkleurig-betoverends; en meer naar links is in de verte de al wat besneeuwde Ventoux te zien. De aanblik geeft hem een gevoel van heimwee: daar zijn, alleen zijn, klauteren zonder al die muizenissen aan zijn kop...

Hij vindt zonder moeite de villa van de kardinaal en het huispersoneel van de kardinaal, maar niet de kardinaal zelf. Die is met zijn hofstoet naar Marseille vertrokken om de nieuwe paus in te halen. Te oordelen naar het zijdelings gegniffel van de bedienden lijkt de welkomstlach van hun meester verdacht op de grijns van een boer met kiespijn: Talleyrand had na al die jaren nu eindelijk de tiara eens zelf willen hebben.

Kamerheren, kapelaans, secretarissen, broodmeesters, botteliers en een stoet verveelde lakeien: het duurt een hele tijd eer Lapo de man gevonden heeft die hem dat kan vertellen waar hij voor komt. Het is meester Trescherel, een voormalige schoolmeester, en Talleyrands vertrouweling. Meer dan eens is hij aanwezig geweest bij gesprekken die de oude kardinaal met broeder Jean heeft gevoerd. Die werd daarvoor uit zijn cachot gehaald, gewassen en ontluisd. De kardinaal placht de profeet te raadplegen zoals anderen naar sterrenkijkers en necromanten lopen: vaak over kleine, persoonlijke zaken. Misschien is het vooral daarom dat hij de man de hand boven het hoofd hield, zelfs toen Jean officieel verhoord was, gewogen was, en te licht bevonden door een college van wel tweehonderd theologen. Ook dat had Trescherel meegemaakt: hoe ze zijn boek op de grond gesmeten hadden en hem uitscholden, en hoe Jean stil was blijven zwijgen als de Heer voor Pilatus.

Inderdaad, geeft hij toe, geen mens zit voor zijn genoegen in de kerker van de Sultan. Maar toen Talleyrand zijn profeet daar had weten onder te brengen was broeder Jean buiten zichzelf van vreugde. Schoonste roos, had hij zijn weldoener genoemd, lelie van de heuvelen, zuil des hemels! Daarvóór immers was hij aan zijn medebroeders overgeleverd en die hadden hem erger behandeld dan duivels. Maandenlang hadden ze hem met een gebroken been in zijn eigen vuil laten liggen en toen hij dacht dat hij sterven ging weigerden ze hem de biecht. Hoe gaat dat in kloosters: één overste die de pest aan je heeft en je leven is een hel. Broeder Jean zal geen gemakkelijke jongen geweest zijn in die jaren. Maar bovenal waren ze bang, zijn medebroeders: het was de tijd van de klopjachten op extremistische franciscanen, en waar die gevonden werden brachten ze het hele klooster in diskrediet.

Meester Trescherel praat omstandig over het verleden omdat hij over het heden verkiest te zwijgen. Hij geeft toe dat zijn meester de profeet bij de Sultan heeft weg laten halen, maar waar hij nu vertoeft, en óf hij nog ergens vertoeft, wil hij niet zeggen. Niet hier in de villa, dat is alles.

'Het is onze generaal die erom vraagt.'

'Het is de paus die daar niet op antwoordt.'

'Maar de paus is dood.'

'De kardinaal leeft. Ga het hem maar vragen.'

Talleyrand, hoort Lapo nog op de valreep, heeft zijn leven in dienst gesteld van één groot ideaal: een Nieuwe Kruistocht die het Heilige Land moet bevrijden. Vooral daarover heeft hij zich in latere jaren met Jean de Roquetaillade onderhouden, want ook over het Heilige Land heeft Jean van alles voorspeld. Straks, als er twee pausen zijn, zal een van hen – de ware – zich mogelijk in Jeruzalem vestigen. Prompt zullen alle joden zich bekeren en eveneens naar Jeruzalem gaan; waarmee dan meteen ook dat probleem de wereld uit is. Lapo neemt afscheid. Hij gaat niet naar Marseille, zoals de schoolmeester aanneemt: hij gaat naar de stallen van de villa. Als Jean regelmatig over kruistochten komt babbelen moeten ze daar weten waar ze hem vandaan halen.

Uit Bagnols sur Cèze, verneemt hij zonder veel moeite, een mijl of twintig naar het noorden. Er staat daar een kasteel dat de paus in bruikleen heeft, en ja, daar hebben ze af en toe een minderbroeder vandaan gehaald die slecht ter been was en een litteken op zijn facie had. Dat is overigens al zeker een jaar geleden, dus of die broeder er nóg zit... Maar het zijn geschikte jongens, daar in die stallen. Om een mogelijk vergeefse reis niet ook nog omslachtig te maken scharrelen ze een vrachtrijder voor Lapo op, die toch naar Bagnols moet.

'Getikt? Broeder Jean? Niks hoor, hoe kom je dáárbij? Het klopt toch precies wat hij zegt? Lees die tekst nou nog eens goed.'

Lapo leest die tekst nog eens goed: 'In het tijdperk van de Moeder Gods wordt een grote slachting aangericht. Twee reuzen raken slaags met elkaar. Hij die een bloem draagt wordt het zwaarst getroffen. Hoort toe, hoort toe: de koning van Frankrijk verliest zijn huissleutel en zijn vijand raapt de sleutel op! Bloed zal er vloeien, bloed zal er vloeien. Twaalf maal zal het volle maan zijn, dan dringt een zwarte wolf de schaapsstal binnen en doodt ontelbaar veel dieren...'

'Ja. En?'

'Tot in de puntjes is het uitgekomen. In augustus - de maand van de moeder Gods - hebben de reuzen Frankrijk en Engeland slag geleverd bij Crécy. De Franse lelie heeft verloren. We zijn Calais kwijtgeraakt, de sleutel van onze huisdeur. En die zwarte wolf, dat kan toch zelfs een Italiaan begrijpen: dat is de Zwarte Dood geweest. Nou?'

Lapo kijkt Jeans medegevangene hulpeloos aan.

'Maar toen hij dat zei was het allemaal al gebeurd, zeg je. Hoe kan een mens iets voorspellen dat al voorbij is?'

'Gemakkelijk,' zegt de clericus, en vult de glazen bij; het leven is niet slecht in Bagnols. 'Ik kan zien dat jij geen mysticus bent, want dan had je daar geen moeite mee. Je moet je gewoon omdraaien en dan ligt het verleden weer voor je.'

'Maar waarom zou je?'

'Om de Tijd te doorgronden natuurlijk. Tijd is het speelgoed dat God voor zijn stervelingen bedacht heeft. Een vlot waarmee je voortdurend vaart van een seconde geleden naar een seconde zo meteen. Of omgekeerd.'

'Evengoed: gisteren kun je niet voorspellen.'

'O, wat doet een woord ertoe. Noem het achterspellen.' De clericus heft het glas. 'Prosit tibi. En dat je Jean maar gauw mag vinden.'

Want natuurlijk, Jean de Roquetaillade is al een jaar uit Bagnols verdwenen. Zijn medegevangene mist hem dagelijks, ze hebben er heel wat aan af geprofeteerd samen. Jeans gezondheid heeft zich geleidelijk hersteld, en toen hij beter was vertrok hij. Nee, hij is niet weggevoerd, hij ging zelf. Met wat hulp van buiten was vluchten niet moeilijk, want de bewaking hier is laks. De clericus weet niet waarheen hij ging en vooral niet waarom hij ging: hij had het zijn leven lang niet zo goed gehad.

Geleidelijk dringt tot Lapo door waarom de schoolmeester in Villeneuve van deze verdwijning niets heeft willen zeggen. Kardinaal Talleyrand was verantwoordelijk voor de verontrustende profeet. Jean is hem tussen de vingers door geglipt. Dat mag niet bekend worden.

'Hier,' zegt de clericus, en geeft Lapo een stuk perkament. 'Dat is alles wat hij achterliet. Het zegt me niets, ik kan niet lezen wat er staat.'

Lapo kan ook niet lezen wat er staat, maar zeggen doet het hem wel wat. Het zijn Hebreeuwse letters. Maakten Jean en zijn beschermer zich niet druk over de bekering van de joden en de verovering van het Heilige Land? Hij rolt het perkament op en steekt het in zijn zak: de enige aanwijzing waarover hij beschikt. Terwijl hij – op de brits van broeder Jean – probeert de slaap te vatten denkt hij met vreugde aan hen die de boodschap voor hem kunnen ontcijferen.

Maar als hij, na een omslachtige boemelreis, terugkeert in Avignon richten zijn eerste schreden zich naar de woning van de aalmoezenier uit Lucca. Ergens onderweg heeft hij gedroomd van Maria Macchiavelli. Ze zag er niet uit als Maria, ze had zelfs in het geheel geen gezicht, maar hij wist dat zij het was, en bij het ontwaken werd hij verpletterd door schuldgevoel. Arnaldo di Ruspo! Hij had willen proberen hem over te boeken naar de 'courtisans' om hem uit de klauwen van Cabannes te redden. Het is hem volledig door het hoofd gegaan. Daar zijn Peyronne en haar zoon schuld aan: ook nu nog valt het hem moeilijk het sinistere tweetal uit zijn gedachten te bannen. Arnaldo courtisan? Hij troost zich met de gedachte dat hem stellig niet zal lukken wat vader di Ruspo met zakken vol smeergeld niet voor elkaar heeft gekregen.

Maar zo zit het niet, glimlacht de aalmoezenier bedachtzaam. Tussen de twee gerechtshoven heersen haat en nijd, en als de een de ander een arrestant kan aftroggelen zal hij het niet laten. Uiteraard moet dat omzichtig gebeuren: wie ópzichtig met beurzen rammelt maakt weinig kans.

Lapo tracht de notenkoek wat te weken in de witte wijn en doet ondertussen de familievete Cabannes-Ruspo uit de doeken. Zijn stadgenoot toont zich voorzichtig optimist. Voor conflicten waaraan vreemdelingenhaat ten grondslag ligt, speciaal als het gaat om Italiaanse slachtoffers van rechter Cabannes, heeft hij wel eens vaker een oplossing gevonden. Een oplossing op een veel lager niveau dan dat waarop bankier di Ruspo zich beweegt.

Tot de biechtkinderen van de aalmoezenier behoort een jong echtpaar waarvan de man, Toscaan, klerk is op een van de pauselijke administratiebureaus. Zijn vrouw is Française en heeft een groot aantal bijzondere redenen om Etienne de Cabannes te haten. Het discrete bericht doet Lapo denken aan een verhaal dat hij in de rechtszaal gehoord heeft, en jawel: de vrouw op wie de aalmoezenier een beroep wil doen is in een schijnhuwelijk verbonden geweest met de gehate rechter zelf.

Lapo omhelst zijn stadgenoot spontaan. Hij onthult dat de Heer zelf op zijn uitdrukkelijk verzoek de aalmoezenier op zijn pad heeft geplaatst: nu zal alles goed komen. Zijn gastheer is bereid terstond naar het jonge paar toe te gaan, maar hij waarschuwt voor ontijdige vrolijkheid. De klerk zal een akte moeten 'ontdekken' waaruit blijkt dat Arnaldo, tijdens zijn jeugd in Florence, burger van die stad geworden is. Dat gebeurt regelmatig, zulke aktes zijn makkelijk na te maken; en buitenlanders die permanent in Avignon verblijven zonder de stadsrechten te bezitten, worden automatisch tot de courtisans gerekend. De aalmoezenier heeft goede hoop dat zijn klerk zo iets zal kunnen regelen; ook al omdat de Ruspo's goed zullen zijn voor een substantieel bewijs van erkentelijkheid. Maar de operatie kost tijd, want de man moet een goede gelegenheid afwachten; en tijd is nu juist niet iets dat in het proces-Arnaldo ruim voorhanden is. Het vonnis kan elke dag verwacht worden. Jammer dat Lapo er niet een paar dagen eerder mee kwam...

'Omdat ik zoveel tegelijk aan mijn hoofd heb,' zucht zijn gast. Hij spreidt zijn handen uit. 'Wil je geloven dat ik soms mijn tien vingers niet eens meer uit elkaar houd! Er zijn tijden, dan loopt alles door elkaar. De oude dag, wat denk je?'

'Niet de oude dag,' zegt zijn vriend troostend. 'Het ligt aan deze stad. In Avignon loopt alles constant door elkaar. Niets is helemaal pauselijk, of helemaal stedelijk, of helemaal Frans. Rechten, instanties, bevoegdheden: nooit kun je ervan op aan. Je hebt tijden, dan is elk bureau waar je aanklopt het verkeerde, en heb je tegenwind in elke straat waar je door moet. Avignon is de verwardste stad van de wereld. Als bezoeker krijg je daar ook een klap van mee. Ben je eraan gewend, dan zijn al die tegengestelde krachten soms best amusant...'

Avignon als spiegelbeeld, nu eens bezorgd, dan weer zorgeloos?

Er is geen hoog water gekomen en de zon breekt door. De hele stad zindert nu van een feestelijke voorpret die ze, sinds de dagen van Clemens, maar zelden te zien heeft gegeven. Verzakte plavuizen worden bijgewerkt, triomfbogen in elkaar getimmerd, enorme wijnvaten in positie gerold. Feestkledij en pronklakens hangen op de balkons te luchten, hier en daar overspannen de eerste guirlandes de stegen al. 'Koorden waar de engelen op zullen dansen!' voorspelt Lapo poëtisch, en hij speculeert over de aantallen gevleugelde koorddansers waar een guirlande plaats aan biedt: als je nagaat dat er al een miljoen engelen op de punt van een naald moet kunnen zitten!

Zijn gesprekspartner lijkt niet overweldigd door de gedachte. Het is Jachopo, de barbier van wijlen kardinaal Francesco. Hij zag Lapo langs zijn zaakje slenteren en wou hem met alle geweld scheren. Lapo voelde zijn stoppelkin, dacht aan het bezoek dat hij af hoopt te leggen, en had er wel oren naar; maar al gauw ruilde hij alle dansende engelen in voor zijn ene beschermengel. Jachopo's handen trillen bedenkelijk, en meer dan eens laat hij zijn klant weten dat hij zijn messen vlijmscherp houdt om een zekere Haan zijn keel af te snijden als zijn erfdeel niet loskomt.

Hoe dan ook, de operatie maakt de klant min of meer presentabel. Dat is het eerste wat door hem heen schiet als hij later, dwalend over de groentemarkt, vlak naast zich een meisjesstem hoort roepen: 'Meneer de koetsier!'

Daar zijn ze dan weer, de tintelende zwarte ogen waaraan hij vaker gedacht heeft dan aan welke ogen ook. Ze verwarren hem onmiddellijk, zodat hij niets anders kan uitbrengen dan: 'Mevrouw de koetseuze...'

Mirjam Creyssent, in het minst niet bevangen, babbelt een maximum aan nieuws bij elkaar in een minimum van tijd. Over het feest in Cavaillon, en over de thuisreis gisteren, en over het nieuwste tijdverdrijf waar zij en haar bruigom zich uren mee vermaken: ze dichten rondelen, naar Lapo's recept! Ook over de koetsier heeft ze het – de echte, de op een na beste! – die terug is, maar nog niet koortsvrij, zodat hij komkommers moet eten, maar gestoofd in olie met honing natuurlijk, want anders bederven ze de maag, en daarom is ze nu op komkommers uit, maar die daar in het kraampje liggen vertrouwt ze niet.

'Je komt alweer als geroepen, broeder. Zou jij er niet eens aan willen voelen of ze nog wel stevig zijn? Joden kunnen dat niet, joden mogen met hun vingers niet aan koopwaar komen, net zomin als leprozen, jood-zijn is besmettelijk, wist je dat al?'

Na de komkommers – die ermee door kunnen – moet Lapo ook de knoflook controleren, en de jonge prei, waar haar vader een zwak voor heeft – mits gestoofd in sesamolie en azijn, zodat ze geen lichaamssappen kunnen onttrekken aan de hersenen. En voor zichzelf wil ze een zoete meloen, maar niet om op te eten. Fijngesneden, met gemalen aronskelkwortel, citroen en geitemelk verschaft de meloen nieuwe glans en schoonheid aan een door reizen en trekken vermoeide huid. Lapo heeft intussen zijn verwarring voldoende overwonnen om het banale compliment te kunnen maken dat Mirjam verwacht, en daarna ontbreekt het ook hem niet langer aan woorden voor een relaas van zijn belevenissen sinds hij de Creyssents verliet. Ze bereiken het huis in het getto waar de arts hem, voor zijn doen hartelijk, verwelkomt. Ook hij laat zich Lapo's avonturen vertellen, gedeeltelijk door Mirjam, die er vol van is. Vooral interesseert hem het schip dat Lapo miste en dat vervolgens gekaapt werd. Hij stelt er een oud verhaal tegenover van een man die zich bij een karavaan zou aansluiten, maar in een doorn trapte en daardoor moest thuisblijven. Ongedacht goede zaken heeft hij er kunnen doen, terwijl de karavaan door rampspoed werd achtervolgd. 'De doorn waar hij in trapte behoort dus tot wat wij noemen: kwellingen, aangedaan uit liefde.'

'Op last van de sterren?' informeert Lapo, die zich hun vorige gesprek goed herinnert.

Creyssent schiet in de lach. 'Ook de sterren zijn uiteindelijk dienstknechten. Wie zal zeggen hoe ver hun bevoegdheid reikt?'

'En hun verantwoordelijkheid, wie zal dát zeggen? Is ook een kok niet verantwoordelijk voor het gepruts van zijn keukenjongens?'

Een glimlach en een handgebaar geven aan dat de dokter over zulke zaken niet in discussie gaat met een laag-bij-de-grondse *goj*. Maar als hij even later het stuk perkament onder ogen krijgt dat Lapo uit Bagnols heeft meegebracht, komt er grote verbazing op zijn gezicht, en hij zegt: 'In zekere zin wordt hier hetzelfde probleem aan de orde gesteld: "Thans moeten wij onderzoeken of, en in hoeverre, de Heer kennis draagt van het enkelvoudige en toevallige op dit ondermaanse, en van welke aard deze kennis dan is." '

'Niet de boodschap die ik verwacht had,' zegt Lapo teleurgesteld.

'Niet naar de letter, misschien. Maar zei je niet dat je dit fragment in Bagnols hebt gevonden? De schrijver ervan is geboren in Bagnols. Als ik me niet vergis is dit het begin van het derde boek van de *Milchamot Adonaj*, de Oorlogen des Heren...'

'Een boek over krijgskunde?'

'Nee, nee. De schrijver heeft de titel ontleend aan de Thora, aan het boek dat bij jullie "Numeri" heet. Oorlogen des Heren zijn oorlogen tegen foutieve ideeën, tegen dwalingen. De "Milchamot" zijn geschreven door een van onze grootste moderne geleerden, rabbi Levi ben Gersjom. Hij staat bekend als de Ralbag.'

'Die moet ik dan onmiddellijk spreken!'

'Dan had je twintig jaar eerder moeten komen! Hij heeft jaren in Avignon op onze Hebreeuwse bibliotheek gewerkt; maar hij is al lang dood. Blijkbaar is zijn werk in zijn geboorteplaats nog in omloop, en dan zelfs buiten de joodse kring. Wat deed je eigenlijk in Bagnols?'

Vader en dochter luisteren aandachtig naar Lapo's relaas over de verdwenen medebroeder en diens ideeën over het nieuwe Jeruzalem. Het ligt voor de hand dat die ideeën verband houden met Jeans belangstelling voor het Hebreeuws. Is hij begonnen het beroemdste boek van de Ralbag over te schrijven, en heeft hij dat voornemen moeten laten varen? De letters verraden een ongeoefende hand; het overschrijven zou hem jaren gekost hebben. Of misschien heeft zijn vertrek het kopiëren beëindigd?

Met een licht schouderophalen geeft de arts toe dat een gesprek met kardinaal Talleyrand persoonlijk zijn nut zou kunnen hebben; maar dat is zijn zaak niet, hij kan zijn 'erekoetsier' helaas niet verder helpen. Niet op dit punt tenminste. Wel is hij aanstonds bereid om in zijn apotheek een drank tegen koorts en hoest te mengen, als Lapo daarom vraagt. Nee, nee, geen paddestoelen met spinazie! Had de broeder het daareven niet over een kok? Een goede kok behoedt het geheim van zijn recepten.

Als Lapo weer op straat loopt is er een wolk voor zijn zonnige humeur getrokken. Opnieuw is het spoor naar broeder Jean doodgelopen. De diepzinnigheden van de zogeheten Ralbag laten hem even koud als de wilde profetieën van de vermiste. Bij vader Creyssent voelde hij het omgekeerde: die was in feite alleen geïnteresseerd in de herkomst van die regels Hebreeuws. Hoe zouden het lot van broeder Jean en het geploeter van broeder Lapo ook raakpunten met zijn wereld kunnen opleveren? En

Mirjam zelf – begrijpelijk hoor, en niet dat het hindert! – maar ook van haar wereld weet hij zich buitengesloten, ondanks haar hartelijk vertoon. Verder buitengesloten dan van het verwaten rijkeluismilieu thuis, waar zijn 'Dame' Maria toe behoort. Gettomuren bestaan niet enkel uit steen...

Tot zijn opluchting staat Peyronne niet tussen de vrouwen die rond de gevangenispoort hangen. Hij krijgt zonder moeite – zonder fooi zelfs – toegang tot de mannenzaal. Behalve Monon, en Arnaldo di Ruspo die een roes ligt uit te snurken, zijn het nieuwe arrestanten die hij er aantreft. De jeugdige patiënt lijkt wat minder ziek. In elk geval kan hij beter uit zijn woorden komen, die overigens het beeld dat Lapo zich van hem gevormd heeft alleen maar bevestigen. Monon produceert het infantiele gebluf van een jongen met veel moeder en weinig ruggegraat. Zijn schorre, brokkelige jongensstem geeft af op Beaucaire, het dooie nest waar hij opgroeide en naar school ging. Zo gauw hij kans zag was hij hem gesmeerd naar Avignon, daar was hij geboren, daar hoorde hij, daar was vertier... plus de voorspelbare grootspraak over gokhuizen en meiden waar hij kind aan huis zou zijn. Lapo luistert nog het meest naar de stem van de jongen. Zelfs daarin herkent hij niets van zichzelf, denkt hij gemelijk.

Wat moet ik hier nog? vraagt hij zich af als hij buiten is. Van de opdrachten die zijn orde hem gaf komt niets terecht. Wat hij voor die deugniet van Peyronne kan doen ziet hij evenmin. Goed, de patser Arnaldo maakt nu een kans; maar voor Maria was het misschien beter geweest als Lapo geen poot naar de vent had uitgestoken.

Slenterend door de stad komt hij bij de rivierhaven waar een schip-stroomafwaarts op vertrekken ligt. Een boot vol huiswaarts kerende marktboeren, hij legt aan in ieder gehucht; maar hij gaat de richting uit van Marseille.

Opeens is zijn besluit gevat. Wegwezen! Naar Marseille gaan en kardinaal Talleyrand uitvragen, zoals de Creyssents geraden hebben. Maar niet rechtstreeks: voor Marseille ligt Beaucaire. Als navraag over Peyronne en haar zoon ergens iets oplevert, dan daar.

Met de stroom mee is Beaucaire niet ver weg, zelfs niet met de talrijke tussenstops en het omzichtige navigeren tussen de dozijnen eilandjes, die alle hun invloed hebben op de sterke stroming. De bemanning gaat te werk met enorme ervaring, broeder Lapo staat er een hele tijd met bewondering naar te kijken. Hij vergeet zijn slechte humeur; in plaats daarvan wordt hij een beetje bang. Hij heeft zich nooit gerealiseerd hoe gevaarlijk de Rhône was, stroomafwaarts vooral. Stroomopwaarts worden de schepen die hij tegenkomt door grote aantallen sterke jaagpaarden tamelijk wel in het gareel gehouden; maar wat gaan ze vergeleken bij zijn driftige *barquette*, ontiegelijk langzaam!

Geleidelijk verplaatst Lapo's belangstelling zich van het waterverkeer naar de medereizigers. Ze laten hem niet alleen van hun overgeschoten marktwaar genieten, maar ook van de bescheiden superioriteit die elke inboorling boven elke vreemdeling verheft; waarbij hij terloops noteert dat er bij dít volk van Italianenhaat geen sprake is. Geen detail op de oever, of het wordt hem aangewezen; en geen detail in zijn eigen leven of ze zouden er liefst alles van te weten komen!

De meeste indruk maakt een oude boerin op hem die zijn aandacht vraagt, niet voor wat er naast het water, maar voor wat er onder het water gebeurt. Ze is bezeten van nixen, meerminnen en meermannen, en vermoedt ze nu in kolkingen, dan in kreken. De Rhône behoort tot de dichtstbevolkte rivieren ter wereld, verneemt hij, en de watermannen zijn gek op landvrouwen, dus dat is uitkijken. 'Houd je tobbe vast!' roept ze dan ook naar elke wasvrouw die ze aan de wal ziet. Hoe vaak gebeurt het niet dat iemand, bij het overbuigen naar een afdrijvende tobbe, pardoes het water in wordt getrokken! Dat komt, mensvrouwen zijn goed in het verzorgen en opvoeden van watergeestkinderen. Een heeft ze meegemaakt, die mocht na zeven jaar terugkeren. Ze vond haar man hertrouwd en geen mens wilde haar meer kennen, ten slotte is ze de Rhône maar weer in gegaan. De buurman die tegenover haar zit bevestigt het verhaal en voegt eraan toe: maar toen het mens opnieuw de Rhône in ging is ze verdronken. Waarmee ze in elk geval bewees geen heks te zijn, want heksen blijven drijven. Hij herinnert er zich een – uit Beaucaire, daar zitten de meeste – die aan hoogtevrees leed, wat natuurlijk lastig is voor een heks. Toen die een keer bij vollemaan op haar bezem over de Rhône vloog kreeg ze het te pakken. In haar angst riep ze Jezus aan. Dat brak de betovering, en ze tuimelde omlaag, het water in. Nou, die bleef wél drijven, want ze is er levend uit gekomen.

Toch geldt dat niet voor allemaal, mengt nu een derde passagier zich in het gesprek. Geen twee dagen terug is er bij hem in de buurt een heks verzopen, niet in de Rhône maar in de Durance, daar waar hij woont, in Cabannes. Dat was een kwaad wijf, als kind al was hij als de dood voor haar. Ze hadden haar lange tijd gewaarschuwd, maar ten slotte kwam de landsheer te weten dat ze bezweringen tegen hem uitsprak, toen had hij er genoeg van en liet hij haar verdrinken. Nou, niks blijven drijven, ze was morsdood toen ze eruit kwam. Zelfs haar zoon kreeg haar niet meer aan de praat, en dat is toch ook een halve tovenaar, de Vogelplukker noemen ze hem...

Lapo Mosca heeft plezier beleefd aan de heks met hoogtevrees. Na het laatste verhaal is hij zwijgzaam. Zijn gedachten keren terug naar de toverkol die de mistral kon roepen, en naar de heer van Cabannes die haar geit had gestolen, en naar Colas Cuelhauzelh, wiens enige menselijke affectie leek uit te gaan naar zijn moeder...

Is dat daar Beaucaire, dat hij in zijn herinnering heeft als één grote feestzaal? Op deze late oktobernamiddag ligt het stadje er kleurloos bij. Zonder reclameborden en spandoeken heeft hij moeite de buurt te vinden waar Peyra indertijd woonde, en haar huisje herkennen doet hij al helemaal niet. Zijn habijt en Peyra's beroep beletten hem inlichtingen te vragen; er zijn trouwens weinig mensen op straat. Vluchtig wordt zijn aandacht getrokken door een gammel huis dat zich als school voor jongeheren aanprijst. Hij is er al voorbij als hij zich de trots herinnert waarmee Monon enkele uren geleden heeft verklaard dat hij lezen en schrijven kon. Iemand moet hem dat geleerd hebben. Hij keert terug naar het schooltje, en als hij ziet dat de meester een bejaarde man is voelt hij dat hij beet zal hebben.

Ja zeker, de zoon van Peyronne is hier op school geweest, wanneer zal dat geweest zijn, een jaar of acht geleden. Zijn moeder wou hem laten leren. Boter aan de galg natuurlijk. De jongen was ongedurig en veel hersens had hij ook niet. Zodra hij de kans schoon zag smeerde hij hem naar Avignon. Waar was de broeder hem tegengekomen?

'In de gevangenis.'

'Zo. Beroerd voor z'n moeder, maar het verbaast me niks.'

Niettemin, als Lapo bericht waar Monon allemaal van wordt beschuldigd, en door wie, en waarom, fronsen de wenkbrauwen van meester Aubin zich bijna in een knoop.

'Etienne de Cabannes?? Dat is toch de rechter van het Wereldlijk Hof? Daar valt die jongen van Peyra helemaal niet onder.'

'Helaas wel. Hij is een geboortige Avignonees.'

'Dat zegt toch niks! Natuurlijk is hij een geboortige Avignonees. Als een vrouw van haar buik leeft en die buik wordt te dik, dan zoekt ze haar heil bij de Pignotte. Die mag dan niet speciaal ingesteld zijn voor zwangere zondaressen, er valt altijd genoeg af om de dagen aan elkaar te knopen. Maar Peyra was nog niet bevallen, of ze keerde terug. Hier had ze haar clientèle tenslotte.'

Op Lapo's gespannen vraag: wanneer dat geweest was, kan de schoolmeester op dit moment niet ingaan. Een jaar of vijftien? Twintig? Hij is nu aan een betoog bezig en kan niet gaan zitten rekenen. Een methodisch man!

'...als gezegd: wie geboren is in Avignon is daarom nog lang geen burger. Daar moeten ze je stadsrechten voor verlenen, en denk maar niet dat zo'n hoerenjong die zo maar krijgt. Als hij zich vestigt in Avignon geldt hij hoogstens als courtisan, of het moest zijn dat zijn moeder er al burgerrechten had. Maar Peyra was van hier, en haar moeder was van hier, dat kan een notaris je zo op een briefje geven, met getuigen en zegel. Geloof mij maar: Cabannes heeft niets over die jongen te zeggen.'

Aan zo'n meevaller durft Lapo niet aanstonds te geloven. Hij denkt aan de zaak Ruspo en werpt tegen: 'Volgens mij geldt die regeling alleen voor buitenlanders. Ik weet van een Florentijn...'

'Beaucaire ís buitenland, broeder! Dat vergeten jullie vreemdelingen altijd. Beaucaire is Frankrijk. Avignon is pauselijke staat. Alles wat in Avignon woont en geen stadsrechten heeft is buitenlander, en zo goed als altijd courtisan. In dit geval is het een groot geluk. Voor Peyra dan. Over dat rotjong praat ik niet, dat eindigt toch met galg en rad.'

'Maar als dit allemaal waar is begrijp ik niets van Peyra. Hemel en aarde beweegt ze om hem uit de klauwen van die rechter te halen... en dit eenvoudige foefje kent ze niet?'

'Och, broeder, jij wist het toch ook niet? Het gewone volk weet van niks. Ik heb vaak rechtszittingen bijgewoond in Avignon, en soms geloofde ik mijn oren niet. Alles loopt er door elkaar. Hoe vaak weet een beklaagde niet eens of hij al dan niet courtisan is, moet hij kiezen, verandert zijn keus weer. Denk aan de problemen van gemengde huwelijken, van een burger die een courtisan in dienst neemt, van bastaarden, en dat met een bevolking waar nog niet de helft van kan lezen. Begrijp je de juridische gevolgen? Begrijp je het eeuwige geharrewar tussen die twee rechtbanken? Maar goed, voor onze Peyra gaan we het uitbuiten.'

In een ommezien heeft de oude schoolmeester een notaris opgedoken wiens studio nog open is, en Ramoun de leerwerker, en Folquet de hoefsmid: allemaal respectabele getuigen die Peyronnes moeder gekend hebben, en Peyronne zelf als kind; uit hun bereidwilligheid leidt Lapo af dat ze, in een wat minder respectabele periode, behoorden tot wat de schoolmeester Peyra's clientèle genoemd heeft; en dat ze daar goede herinneringen aan bewaren. De notaris verlangt zelfs geen geld voor de akte die hij opstelt. Zulke aktes maakt hij dagelijks, verzekert hij, en ze werken altijd. De parochies van Beaucaire houden geen registers van dopelingen bij – welke kerken wel trouwens! – maar als de getuigen achtenswaardige lieden zijn nemen rechters overal genoegen met verklaringen als deze. Lapo kan zowel de mannen als het document wel zoenen.

De schoolmeester, weduwnaar, houdt hem gastvrij te slapen. Onder het genot van een glas zelfgemaakte wijn ziet Lapo eindelijk kans om het onderwerp ter sprake te brengen waarvoor hij in eerste instantie naar Beaucaire gekomen is. Hij heeft allang begrepen dat de oude man eigenlijk niet wil weten welk soort intimiteit aan zijn vriendschap voor Peyra ten grondslag heeft gelegen. Ze was een goede buur. Ze vertrouwde hem. Ze hoorde bij de groep met wie hij de bergen in is gevlucht in de zomer van de grote pest. Had ze die jongen toen al, die Monon? vraagt zijn gast met kloppend hart. En of! Een luierkind dat amper kon lopen, de schoolmeester weet niet hoeveel mijlen hij de lastpak persoonlijk gedragen heeft...

Lapo Mosca is overeind gesprongen.

'De zomer van de grote pest zei u toch, hè? De zomer van de duizend doden?'

En als de schoolmeester knikt, verbaasd, hij pleegt zich toch duidelijk genoeg uit te drukken... is hij erbij, en valt een ongewassen, naar knoflook stinkende Toscaanse monnik hem daadwerkelijk om de hals.

Als Lapo Mosca, gewapend met de notariële akte, de volgende morgen bij de steiger komt wordt er voor die dag geen boot verwacht die naar Marseille gaat; maar uit de tegengestelde richting nadert in de verte, langzaam tegen de zware stroom, een vrachtsleep met bestemming Lyon. Hij moet aanleggen aan de overkant, in Tarascon, waar de jaagpaarden gewisseld worden. De veerpont, die beide oevers op deze plaats al sinds Romeinse tijden met elkaar verbindt, staat op het punt uit Beaucaire te vertrekken. Lapo bedenkt zich niet lang. De zaak-Monon heeft meer haast dan de zaak-Talleyrand. Het moet Gods bedoeling zijn dat hij meevaart, terug naar Avignon.

Nog voor de sleep heeft aangelegd wordt Lapo's blik getroffen door een klein, met oliedoek bespannen raampje dat een opvarende aan twee stangen boven zijn hoofd houdt; een beetje scheef, want de opvarende zit te dommelen na een vermoedelijk slapeloze nacht. Hij heeft de kap van zijn pij ver over de ogen getrokken. Pas wanneer een hem door een medebroeder toevertrouwde reiszak tussen zijn voeten vandaan gegrist wordt schiet magister Ubaldo wakker.

Gekaapt? Hij? Hoezo? O, is de Sancta Martha gekaapt, dat had hij nog niet gehoord. Toen bleek dat Lapo niet op kwam dagen is hij bij de eerste aanloophaven van boord gegaan en teruggekeerd naar Genua. Lapo staat op het punt geroerd en beschaamd te worden door zoveel solidariteit; maar het blijkt dat het de magister in de eerste plaats om een nieuw zon-en-regen-afdak te doen was, want zijn hoofd en zijn keel hebben op de Middellandse Zee veel te lijden. Toen dat instrument vervaardigd, en de reisgenoot nog steeds niet boven water gekomen was, is hij opnieuw scheep gegaan. Eergisteren is hij eindelijk geland in Arles. Sindsdien is hij doende Avignon te bereiken. 'Ongemakkelijk en langzaam,' zegt hij verwijtend. 'Niets te krijgen aan boord, en wat een onbeschaafd gezelschap!'

Dwars door allerlei schuld- en dankgevoelens heen voelt Lapo zijn oude ergernis alweer priemen. Als Ubaldo hem hooghartig opdraagt aan de wal iets eetbaars te gaan kopen, haast hij zich opgelucht de treeplank weer af. Met zijn reiszak, maar dat merkt hij pas later: de zak weegt bijna niets meer, alle kazen en kruiken zijn eruit verdwenen.

Voor de havenkroeg staat een paard, en in de havenkroeg zit Matteo da Bologna, de pauselijke koerier. De avond tevoren is de nieuwe paus in Marseille aangekomen. Na een afscheidsbezoek aan zijn abdij denkt hij over drie dagen zijn nieuwe standplaats te bereiken. Matteo heeft het bericht in Arles van een estafettekoerier overgenomen. Hij doet er minder geheimzinnig over dan in Genua, en is er ditmaal ook niet op uit Lapo zo snel mogelijk af te schudden. Integendeel: als de broeder wil kan hij bij de koerier achterop tot voor de stadsmuren. Het meenemen van een bijrijder is koeriers natuurlijk verboden: het extra gewicht vertraagt de snelheid van het paard. Maar de route naar Avignon is onrustig, in de eenzame heuvels bij de Michaelsabdij zijn pas weer overvallen gepleegd. Getweeën worden ze eerder ontzien en kunnen ze zich beter verdedigen.

De keuze tussen twee of drie bange uren en een etmaal Ubaldo is ditmaal niet moeilijk. Lapo laat zich van een ferme knuppel voorzien en klimt bij Matteo achterop. Ze zijn Tarascon al uit als hij zich de honger van de magister herinnert...

Blijkbaar hebben de rovers hun arbeidsterrein verlegd: ongedeerd klopt hij tegen het middaguur op de deur van de aalmoezenier uit Lucca. Die is afwezig, en Lapo kort zich de wachttijd met het jaarverslag dat hij aanstonds bij Filippo di Rosso zal gaan afgeven. Hij herkent zijn zelf in Genua dichtgepeuterde zegel. Het is ongeschonden gebleven. Onbekommerd verbreekt hij het opnieuw.

Daar zijn ze dan weer, Monna Ginevra en de Gallus die hij inmiddels heeft kunnen thuisbrengen; en de onopgehelderde Umbriër... plus de Petrusbrieven, met de raadselachtige regels over een gardiaan – Florentijns? Flavius? – in de omgeving van de paus – welke paus? – over wie hij niets wijzer geworden is. Als zijn gastheer lang uitblijft gaat hij op zoek naar schrijfmateriaal en kopieert hij de hele vermaledijde passage, tong tussen de lippen.

Dan komt de aalmoezenier thuis, en Lapo schrikt van zijn opwinding en zijn witte ontstelde gezicht. Die morgen is, op het kerkhof St.-Symphorien, een aantal strafzaken afgehandeld door rechter de Cabannes. Ook de zaak-di Ruspo is voorgekomen. Eer de rechter uitspraak kon doen is het kerkhof bestormd door Arnaldo's vrienden en een groot aantal gewapende Toscanen. Er ontstond een vechtpartij met toegesnelde 'sergents' en leden van de Franse liga. Arnaldo is dodelijk gewond geraakt en ter plaatse overleden.

Lapo's eerste reacties zijn van een koelbloedigheid waarvoor hij zich later diep zal schamen. Deze oplossing is zo gek nog niet. Monna Maria zou niets dan teleurstelling beleefd hebben aan haar ongeluksneef; hij hoort zichzelf al stemmig lispelen over 'het veld van eer'. Geestdrift vervult hem als de aalmoezenier uitweidt over het leedwezen van de klerk op de kanselarij. Als hij hoort dat de man zich schuldig voelt omdat hij Lapo deze dienst niet meer heeft kunnen bewijzen, is hij er als de kippen bij die gevoelens te sussen met het document uit Beaucaire. Met verve prijst hij de eenvoud aan van deze nieuwe taak. Niets te vervalsen! De akte bij de juiste raadsheer deponeren, dat is alles!... Pas de verbouwereerde blik van de aalmoezenier maakt hem duidelijk dat er iets mis is. Even pakt hem de schrik: zijn ze soms ook met dit geval te laat? De zaak-Monon zal toch niet voor geweest zijn...?, toch niet tot een veroordeling geleid hebben...? Dat niet: na de vechtpartij is de zitting geschorst. De onthutsing van de aalmoezenier geldt Lapo zelf. Van harte gecondoleerd had hij moeten worden met het verlies van een vriend. Hij is lang niet treurig genoeg!

Eerst nu begint een ander aspect van Arnaldo's dood tot Lapo Mosca door te dringen. Had die dood voorkomen kunnen worden als Lapo zich eerder voor de man had ingezet? Dagenlang heeft hij de beslissende afspraak met de aalmoezenier vergeten. Omdat hij Peyronne tegen het lijf liep? Omdat hij de pest had aan Arnaldo? Een beetje meer oplettendheid, en de klerk had zijn taak bijtijds kunnen vervullen. En dat is allemaal het ergste niet. Het ergste is dat de Heer zelf, persoonlijk, en precies op het juiste moment, de aalmoezenier uit Lucca op Lapo's pad geschoven heeft als antwoord op zijn smeekbede: die verhoring geeft aan zijn vergeetachtigheid pas de eigenlijke dimensie. Het gezicht van Lapo's gastheer ontspant zich: eindelijk kijkt de broeder passend bedroefd...

Het duurt geruime tijd voor Lapo zijn aandacht weer bepalen kan bij de woorden van de ander. Die verklaart zich bereid onmiddellijk werk te maken van Monons aangelegenheid, maar meer om zijn ontstelde klerk wat op te vrolijken dan omdat de tijd in dit geval dringt. Want het blijkt dat rechter Etienne de Cabannes terstond na de zitting weggeroepen is en zich halsoverkop naar zijn geboorteplaats begeven heeft. Zijn vader zou overleden zijn en zijn broer eveneens onder raadselachtige omstandigheden. Tegen dat hij terug is houdt juist de nieuwe paus zijn intocht. Nee, als de zaak-Monon werkelijk zo eenvoudig ligt, is er ruimschoots gelegenheid haar naar de dossiers van de Maréchal over te hevelen.

Terwijl Lapo kriskras de stad doorkruist om de brieven uit zijn reiszak eindelijk bij de geadresseerden te bezorgen, gaan zijn gedachten, met een laffe boog om de dode Arnaldo heen, uit naar de dode toverkol in Cabannes. Bezweringen die de bezweerder overleven...? Die is hij nog nooit tegengekomen.

De laatste bij wie Lapo een zes weken oud poststuk komt afleveren is Filippo di Rosso, in zijde en brokaat. De winkel staat vol somber discussiërende Florentijnen. Het slachtoffer van het handgemeen op het kerkhof was niet bijzonder geliefd: het is vooral de nederlaag waarop de bevrijdingspoging is uitgelopen, die betreurd wordt. De positie van de Toscanen in de stad is er bepaald niet door versterkt. Hoe kon dat gebeuren, terwijl er zo goed geoefend was? Welke details zijn bij de voorbereiding over het hoofd gezien? Lapo, die midden in het gekibbel valt, heeft een antwoord dat hij voor zich houdt: in het heetst van een gevecht vergeet iedere Florentijn zijn afspraken en wapenbroeders en vecht voor zich alleen. Dat is hem eenvoudig niet af te leren.

Door deze wolken van somberheid breekt de zon van het jaarverslag. Het hele gezelschap raakt in beweging. Boekhouders, compagnons, verkopers, verwanten en vrienden drommen rond Filippo en het boek. Bladzijden worden driftig omgeslagen, vingers wijzen langs regels, zinnen worden opgelezen, brokstukken vertaald. Brokstukken die Lapo's vertaalkunst niet uit de Latijnse afkortingen lijkt te hebben losgepeld: over een alchimist, hoort hij dat goed? En over een grot in de erflanden van wijlen kardinaal Francesco? Jongens, erheen, nu dadelijk! Paarden zadelen! En een schubbenvest onder het wambuis, want je weet maar nooit! Winkel sluiten, luiken ervoor, verzamelen over de brug in Villeneuve, voorwendsel: op jacht gaan!

De koortsachtige activiteit is zo tegengesteld aan wat Lapo verwachtte dat hij stokstijf en hulpeloos in het gewoel staat en Filippo zijn achterdeur al bijna uit is voor hij kan vragen: of messere dat nu gezien heeft, van dat Petrushandschrift?

'Petrushandschrift??'

'Waar uw broer het tegen mij over had. Staat daar niets over in het boek?'

'Is me niet opgevallen. Heeft in elk geval geen haast. Mag ik erdoor? O, ik begrijp het al. Hier, geef dat aan je klooster. Of aan de armen. En bedankt!'

Weg is Filippo. Weg is de hele troep. Naar de erflanden van de kardinaal? Ooit heeft hij gehoord waar die liggen, ergens bij een riviertje? En een grot in die erflanden, daar gaat het om? Ligt daar een schat begraven, zoals in grotten gebruikelijk is?

In Filippo's kantoortje is het jaarverslag open blijven liggen, en ofschoon Lapo de regel die hem al die weken heeft beziggehouden van buiten kent, leest hij hem nog eenmaal door. Hij heeft erbij gestaan toen ook Filippo hem las. Hoe is het dan mogelijk dat hij er geen nota van nam? De mededeling over de Petrusbrieven staat er toch duidelijk. Voor het eerst durft Lapo aan het nare gevoel dat hem vervult de naam Twijfel geven: staat er wel wat hij denkt dat er staat?

Hij heeft zijn kopie achtergelaten bij de aalmoezenier uit Lucca met het verzoek er eens naar te kijken: die is, in al zijn eenvoud, een gestudeerd man. Nu hij de commotie gezien heeft die Marco's brief heeft losgeslagen, weet hij niet of hij daar wel goed aan gedaan heeft: de inhoud lijkt belangrijker, misschien zelfs gevaarlijker, dan hij gedacht had. Maar het afschrift terughalen is moeilijk, en bovendien: hij wil nu eindelijk wéten wat hij heeft aangevoerd.

Regen. Opeens is het herfst. Overmorgen begint november en morgen komt de nieuwe paus. Wat een ontvangst bereidt hem Avignon! Druilerige triomfbogen, kletsnatte vlaggen, verzopen guirlandes. Lapo Mosca, kap tot boven de ogen, zoekt zijn weg tussen de modderpoelen van de voorstad. Hij heeft de vrouw Peyronne niet bij de gevangenis zien staan, en hoopt haar nu te vinden in het klooster van de bekeerde lichte dames. De zaak van Monon is rond: de klerk pleegt dozijnen van dit soort attesten te behandelen. Hij heeft het doorgegeven aan de raadsheren, en ze hebben het zonder meer geaccepteerd. Dankbaar heeft Lapo zijn visie op Gods raadsbesluit bijgesteld. Het is kennelijk niet ter wille van Arnaldo geweest dat de Voorzienigheid de aalmoezenier uit Lucca op zijn weg plaatste: het was ter wille van Monon, 'de enige zoon van zijn moeder en deze was weduwe'. Goed, niet echt weduwe, maar Lapo voelt zich niettemin in bijbelse sferen en ziet zich al 'de jongeling aan zijn moeder teruggeven', zoals het Evangelie vermeldt. Niet dat er echt iets terug te geven valt, want ook het hof van de Maarschalk zal Monon niet straffeloos laten gaan. Het enige wat hij hem verschaft heeft is de kans op een rechtvaardig proces.

Lapo treft Peyronne bij het, in dit weer volstrekt zinneloze, dweilen van een stoep. Ze gaat overeind staan als hij haar de groeten doet van schoolmeester Aubin en leerwerker Ramoun en hoefsmid Folquet. Er komt onrust in haar blik.

'Wat moest jij in Beaucaire?'

'Verhalen horen, Peyra. Roerende verhalen over de grote pest van veertien jaar geleden: hoe jullie de stad uit vluchtten, en hoe Monon gedragen moest worden omdat hij nog niet lopen kon. Een luierkind. Ik heb je opgescheept met een zwangerschap van vier volle jaren, arme stakker. Vandaar dat die zoon van me nu pas aan zijn stembreuk bezig is...' Hij laat het erbij en schaamt zich: over de verlepte wangen stromen tranen van wanhoop. Zelfs Peyra's vloeken verdrinken erin. Merdosa mayre de Diou! Ze heeft ook altijd pech! Monons vader was werkelijk een Italiaanse muzikant, ze zal hem met Lapo verward hebben, het is lang geleden, ze kan niet alles onthouden...

'Dat heb ik gemerkt. Er is iets veel belangrijkers dat je vergeten bent.'

Vergeten?! Nooit, nooit heeft iemand haar de onzin op de mouw durven spelden waar Lapo nu mee aankomt. Wie in Avignon geboren is zou geen burger zijn van Avignon? Zou 'courtisan' zijn, ook als hij nooit iets met de 'cour' van de paus te maken had gehad? Zelf heeft ze haar zoon voorgeschreven zich 'burger' te noemen, dat zou hem helpen, had ze gedacht. Geen woord gelooft ze van Lapo's verhaal, wat een gemene streek om haar zelfs nu nog voor de gek te houden! Pas wanneer Lapo zich beroept op meester Aubin, in wie ze kennelijk vertrouwen heeft, komt ze tot bedaren. Ze laat zich argwanend aanpraten dat Monon werkelijk overgaat naar een rechtbank waar Cabannes niets te zeggen heeft. De tranenvloed droogt op. Aan blijdschap – laat staan dankbaarheid – is ze nog niet toe: daarvoor zijn spanning en verbittering te groot geweest. Al wat ze opbrengt ten slotte is een sluwe grijns: 'Je bent voor hem naar de dokter gegaan. En naar Beaucaire. Je haalt hem uit de klauwen van die schoft vandaan, als het waar is wat je zegt. Daar had je allemaal niet over gepeinsd als je niet gedacht had dat Monon van jou was. Het beste wat ik in mijn leven gedaan heb is jou voorliegen.'

Lapo draait zich om en loopt weg, hij is uitgepraat. Zij niet. Het laatste wat ze hem naschreeuwt is: 'Draai je nou ook die Cabannes nog effe z'n nek om? Zolang die vrij rondloopt geloof ik nergens an...'

Het hof van de Maarschalk laat er geen gras over groeien. Het ontfutselen van elkaars verdachten is altijd al een gewilde sport, maar de situatie die zich vandaag voordoet zorgt voor extra geestdrift: de Maarschalk niet meer in functie en Cabannes de stad uit! Lapo heeft Monon nog niet uitgelegd wat er gaat gebeuren, of daar komen met luid gerinkel van wapens en boeien twee wachters aanzetten in Maarschalksuniform. Hun komst moet Monon wel gelden: andere arrestanten zijn er, sinds de laatste rechtszitting, niet meer. De jongen staat te trillen op zijn benen: hij is wel koortsvrij, maar daarom nog geen held. Lapo heeft juist de gelegenheid om alle partijen duidelijk te maken dat hier sprake dient te zijn van een klein feestje; het bodeloon dat Filippo hem gisteren schonk verhoogt zijn geloofwaardigheid aanmerkelijk. Het drietal maakt zich uit de voeten; welgemoed, maar met gezwinde pas om dwarsbomen van de concurrentie te voorkomen. Als de broeder zo goed wil zijn de spullen van de arrestant bij elkaar te zoeken en bij de Maarschalksgevangenis af te geven...? De deur valt achter hen dicht en Lapo prevelt een schietgebed: dat hij én zoon én moeder voor het laatst gezien mag hebben...

Monon en zijn ontvoerders zijn maar net op tijd vertrokken. Lapo is nog bezig op zijn gemak een bundeltje te maken van enige onwelriekende kledingstukken, als er opnieuw gestommeld en gerammeld wordt op de trap. Hij schrikt. Zou de 'overplaatsing' mislukt zijn? Gespannen kijkt hij naar de deur. Zijn mond zakt open als hij daarachter een kraaistem hoort roepen: 'Maar hier moet ik helemaal niet zijn!'... en het klerenbundeltje valt uit zijn handen als de deur geopend en een tegenspartelende arrestant naar binnen geduwd wordt.

'Wat moet jíj hier!' schreeuwt broeder Ubaldo, duidelijk over zijn toeren. Twee potige 'sergents', ditmaal in het uniform van het Wereldlijk Gerechtshof, gooien de bagage van de arrestant naar binnen – compleet met regenscherm – waarna ze zonder verder commentaar de deur sluiten en de trap weer af stampen.

'Dat heb jij me natuurlijk weer geleverd!' schreeuwt Ubaldo. 'Ik heb je nog niet terug of ik kan weer voor je stommiteiten opdraaien! Maar ik bedank ervoor, als je dat maar weet! Een gevangenis! De schande! Ik wil hier onmiddellijk weg!'

Hij begint zowaar op de deur te bonzen en te roepen dat hij eruit wil. Het is werkelijk een geluk dat ze alleen zijn: het prestige van de orde zou te grabbel gegooid worden! Het duurt geruime tijd voor Lapo te horen krijgt wat er gebeurde, ofschoon het niets anders is dan dat, zodra Ubaldo's schip in Avignon aanlei, die twee gewapende kerels aan boord kwamen, regelrecht op hem afstapten, en hem meenamen. Gevangen namen! Zonder zijn naam te vragen, zonder opgaaf van redenen! Ubaldo had de bejegening wat ruw gevonden, maar geen weerstand geboden. Ook al omdat hij erop voorbereid was dat hij afgehaald zou worden.

'Hier? Maar u moet toch helemaal niet in Avignon zijn? Dat schip vaart door tot Lyon.'

Het blijkt dat magister Ubaldo wel degelijk in Avignon moet

zijn, eer hij doorreist naar Parijs. Kennissen van zijn broer hebben hem uitgenodigd, deftige handelslui uit Por S. Maria, die hier een filiaal hebben. Di Rosso is de naam. Tot het moment dat hij hier de trap op gezeuld werd had hij werkelijk gedacht dat het naar dát adres was dat ze hem brachten.

Gelukkig hoort Ubaldo tot de mensen die alles drie keer vertellen als ze in opwinding verkeren. Zodoende heeft Lapo tijd om van zijn verbazing te bekomen en na te denken. Heeft hij Filippo, in het tumult na de ontvangst van het jaarverslag, niet over een alchimist horen spreken? Zou dat Ubaldo kunnen zijn? En is híj dan niet misschien die geheimzinnige Umbriër uit het jaarverslag? Heet de stadsheilige van Gubbio geen Ubaldus? Dan is het een Umbrische naam...

Maar nee. Ubaldo's moeder mag uit Gubbio komen en hem naar haar vader vernoemd hebben, zelf is hij geboren in de Mugello en heeft hij de stadsrechten van Florence. Zijn thuisklooster is – of was, tot voor kort – het roemruchte Santa Croce. Ubaldo's toon is gepikeerd: hij vindt dat Lapo dat had horen te weten. Diezelfde zomer, voor hij naar Bologna ging, was hij nog thuis geweest. 'Thuis', op zijn kasteel waar zijn vader was overleden; en daarna 'thuis' in zijn oude klooster, zij het maar kort. Wat die term alchimist betreft, hij zou het op prijs stellen als Lapo die niet in de mond nam. Het is waar dat hij zich als Reaalfilosoof in Parijs met de speculatieve alchemie bezighield; maar het gewone volk, onwetende clerici niet uitgezonderd, pleegt bij het woord alchemie aan hocuspocus te denken.

Ondertussen kan hij niet langer ontkennen dat de 'kennissen van zijn broers' hem uitgenodigd hebben om hun behulpzaam te zijn bij het uitvoeren van zekere experimenten. Hoe kon hij eraan twijfelen dat het hún dienaren waren die hij, aan boord, rechtstreeks op zich zag toe komen? Ze kenden hem niet, ze konden niet weten dat hij juist die boot genomen had: het was puur op het afgesproken herkenningsteken dat ze reageerden...

'Herkenningsteken?'

'Het Umbraculum! Mijn regendakje! Waarom denk je dat ik in

Genua een nieuw heb laten maken! Sinds ik die dingen op oude Romeinse reliëfs heb gezien ben ik er onafscheidelijk van. Als herkenningsteken was het ideaal.'

Umbraculum. Zozo. Geen Umbriër. Lapo ziet zich schuilen onder het ding voor de natte sneeuw op de Mont Ginèvre. Voor de schele, lage zon bij Apt...

'Magister, die afspraak over een herkenningsteken is in handen gevallen van di Rosso's ergste vijanden. Ze hebben mij op een haar na gepakt toen ik met dat scherm rondliep. Nu hebben ze u. Ze weten dus dat u de alchimist bent, en ze weten stellig ook wat u hier komt doen.'

'Wat zou ik hier kómen doen? Ik ben specialist in het oeuvre van Roger Bacon. Die geeft ergens een recept voor kruit waarmee je vuurwerk kunt maken, zoals de Chinezen hebben. Ik heb er al jaren naar verlangd dat recept eens te proberen. De firma di Rosso geeft me die kans...'

Gelukkig hoort Ubaldo ook tot de mensen die van geen ophouden weten als ze eenmaal over hun hobby beginnen. Hij heeft met Bacons recept nooit kunnen experimenteren bij gebrek aan grondstoffen. Het kruit is moeilijk te maken. Behalve houtskool en zwavel is er salpeter voor nodig, en salpeter is zeldzaam. Toevallig is er hier in de buurt een hele grot vol van. Wijlen kardinaal Francesco heeft haar ontdekt op een terrein langs het riviertje de Gard, dat hij juist gekocht had. Hij heeft de grot meteen laten afsluiten, en het terrein bestemd tot erfdeel voor de franciscanen van Florence, de meest vredelievende christenen die hij kon bedenken. Het was hem bekend dat salpeter ook gebruikt kon worden bij het bereiden van minder onschuldige zaken dan vuurwerk... Zo zit dat dus.

'Magister, voor dat "minder onschuldige" laten ze u komen. Di Rosso wil helemáál geen vuurwerk, en de kerels die u ontvoerd hebben ook niet. Dat zijn de Galli, en het gaat hun om vuurwápens waarmee ze ons Toscanen uit Avignon kunnen schieten. Het is het "geheime wapen" dat u voor ze ontwikkelen moet.'

'Kennen die Galli de grot?'

'Dat weet ik niet. Maar u moet hier zo gauw mogelijk vandaan!'

'Dat zou ik ook denken! De gevangenis! Jij zult daar allicht ervaring mee hebben, maar ik heb er zelfs in mijn studententijd nooit in gezeten. Bij di Rosso krijg ik een laboratorium met een eigen woning. Dat zouden die Galli me toch minstens ook wel aanbieden...'

'U wilt toch niet zeggen dat u voor de vijanden van Florence...'

'Laat de politiek er toch buiten! Ik kom hier om belangrijke wetenschappelijke proeven te doen, anders niet. Nou? Hoe denk je me hier uit te krijgen?'

Pas wanneer Lapo de plannen en de praktijken van de Franse liga in zulke grimmige kleuren heeft afgeschilderd dat zelfs de magister beduusd raakt, gaat hij tot daden over. Ubaldo heeft de naam di Rosso tegen de twee 'sergents' genoemd: daar kan hij dus niet heen; en het klooster is op dit moment ook niet veilig.

In het stof op de grond tekent Lapo uit hoe Ubaldo het huis van de aalmoezenier uit Lucca moet bereiken.

'En hoe moet ik de poort uit komen? Vliegen, door het raam?!'

Daar heeft Lapo al lang een plan voor klaar liggen. In geval van nood had hij het voor Monon willen gebruiken, maar met Ubaldo lukt het veel makkelijker. Ubaldo heeft ongeveer zijn postuur, en draagt hetzelfde habijt. Lapo kent de twee of drie poortwachters die elkaar afwisselen in hun wachthuisje. Ze zijn ook in normale omstandigheden al nonchalant, maar nu de mannengevangenis bijna leeg is zullen ze helemaal onoplettend zijn. Hij trekt zijn kap zo ver mogelijk over de ogen en laat Ubaldo hetzelfde doen: het regent immers buiten. Dan loopt hij luid neuriënd de trap af, iets waar hij om bekend staat. Hij maakt een praatje met de portier in de deur van het wachthuisje. Hij neemt afscheid, om zich vervolgens tegen het voorhoofd te slaan: ik domkop! Nu heb ik de kleren van die jonge boef vergeten! Hij snelt naar boven, drukt Ubaldo het bundeltje in de hand, en waarschuwt hem, het wachthokje te passeren met niet meer dan een brom en een armzwaai. Ubaldo vertrekt. Tot de voordelen van een pij hoort dat men geen knieën kan zien knikken...

Een tijdlang blijft Lapo Mosca roerloos staan luisteren. Er komt geen alarm. Een paar maal loopt hij door het lege, nu plotseling ruime vertrek op en neer, peinzend over de salpetergrot die op de een of andere manier in Marco's brief beschreven moet zijn, en wel meteen door Filippo en zijn makkers begrepen werd, maar niet door hem... En peinzend over magister Ubaldo, zo bezeten van onderzoekersdrift, en tegelijk zo verfranst door zijn verblijf in Parijs, dat hij onbekommerd voor de Galli zou gaan werken, als vrouwe Fortuna, samen met Lapo Mosca, daar geen stokje voor stak...

Veel tijd voor mijmeringen krijgt hij niet. Opnieuw klinkt er beneden lawaai, opnieuw stormen driftige schreden de trap op. De deur wordt opengesmeten. Met ontzetting herkent Lapo Etienne de Cabannes.

Maar de rechter maakt een buiging voor hem. Hij stelt zich voor en put zich uit in excuses over dit onpassende verblijf. Als hij in de stad geweest was, had hij het voorkomen, dan hadden zijn dienaren de gast rechtstreeks naar zijn ambtswoning gebracht. Juist om de beroemde geleerde stijlvol te kunnen ontvangen werd er sinds weken naar hem uitgezien. In de havens, op de grensposten van de handelsroutes, overal was het parool uitgegeven om de minderbroeder-met-het-regenscherm te verwelkomen. Als het gedrag van zijn gerechtsdienaars te wensen overliet spijt hem dat oprecht. Hij kon hun nu eenmaal moeilijk uitleggen waarom ze hem mee moesten nemen...

'Legt u dat míj dan maar eens uit,' gelast de arrestant waardig. 'Ik kan u verzekeren dat mijn orde deze handelwijze hoog zal opnemen. Daar onderbreek ik nietsvermoedend mijn terugkeer naar Parijs voor een bezoek aan een onzer weldoeners om hem een kleine dienst te bewijzen...'

'Dat is me bekend. De inlichtingendienst van deze stad is verplicht zich op de hoogte te stellen van inkomende poststukken. Wat uw weldoener u wil laten maken valt onder de categorie "vliegend vuur". Dat is particulieren verboden in Avignon. Wapenfabricage is een stadsmonopolie. Ik kan u niet toestaan uw weldoener te bezoeken. Wel kan ik u namens de stad een laboratorium ter beschikking stellen waar u in alle rust met uw proefnemingen bezig kunt zijn.'

(Ha! Een uitnodiging die Ubaldo op het lijf geschreven zou zijn.) De nieuwbakken alchimist loopt – nee, schrijdt – met gefronste wenkbrauwen op en neer en kan niet laten te denken dat hij van de manier waarop Cabannes een schurkachtige ontvoeringszaak presenteert nog wat leren kan. Zeggen doet hij uiteraard dat hij zich over dit voorstel zal moeten beraden, omdat het niet in overeenstemming is met wat hem is opgedragen door zijn superieuren.

De rechter maakt een gebaar van begrijpende spijt. In dat geval zal zijn gast helaas moeten blijven waar hij is tot hij zijn besluit genomen heeft, en dat tot overmorgen, want morgen heeft de Sieur de Cabannes het Wereldlijk Gerechtshof te vertegenwoordigen bij de intocht van Zijne Heiligheid de nieuwe paus.

'Overigens,' vervolgt hij, 'bent u volgens onze inlichtingen degene die beschikt over aanwijzingen betreffende de grondstoffen van het te fabriceren kruit, met name van salpeter. We zullen het op prijs stellen die aanwijzingen zo spoedig mogelijk te vernemen.'

'Daarover zullen we het hebben als ik u mijn besluit meedeel,' antwoordt de alchimist koel. Zijn eerste opwelling is vreugde: kennelijk weet Cabannes niets van de grot. Maar zijn tweede opwelling is angst: ongetwijfeld beschikt deze man over hele nare middelen om hem aan de praat te krijgen. Hij moet zo gauw mogelijk zien weg te komen...

Voorlopig is het Cabannes die aanstalten maakt om te vertrekken. Om zijn vijand wat milder te stemmen belooft de gevangene te zullen bidden voor de dierbaren die de rechter, naar hij van de 'sergents' vernomen heeft, zojuist zijn ontvallen.

Het verbeten gezicht wordt nog smaller.

'Verdronken. Allebei. Op één dag. Als gevolg van bezweringen, wordt er gezegd. Gelooft u aan toverij?'

'De Kerk gelooft eraan. Anders zou ze het niet verbieden.'

'Toverij van een heks? Een heks die al dood was?'

'Heksen krijgen hulp van de duivel. Maar de Kerk leert dat christenen in staat van genade daartegen opgewassen zijn.'

Een antwoord dat de rechter lijkt op te vatten als een verdachtmaking; wat het ook is. Hij trekt de deur achter zich dicht; en daarna hoort Lapo voor het eerst wat hij na vorige, nonchalantere bezoekers zo dankbaar heeft gemist: er wordt een grendel toegeschoven.

Er zijn beloften die een mens in geval van nood mag breken. In de fatsoenscode van Lapo Mosca zijn dat er zelfs vrij veel; maar de belofte te bidden voor de zielerust van doden hoort daar niet bij. Hij bidt dus uitvoerig voor de heren Cabannes – zich afvragend hoeveel kans een rijke maakt die een arme haar enige geit aftroggelt – maar geleidelijk beveelt hij ook zichzelf in toenemende mate bij de Heer aan, want de gedachte aan een weerzien met rechter Cabannes vervult hem met onrust. Hij heeft weliswaar een tamelijk duidelijke voorstelling van de manier waarop hij hier weg kan komen, maar het blijft altijd de vraag in hoeverre de Voorzienigheid die voorstelling deelt. Het is dus verstandig de aandacht des Hemels op zijn plan te vestigen.

Met succes. Kort voor de avondklok komt de cipier die nachtdienst heeft de gevangenislokalen controleren met een toorts die hij omhoog houdt.

'Maar broeder Lapo!! Volgens m'n maat zou hier een andere franciscaan zitten.'

'Dan heeft je maat niet erg goed opgelet. Die ander is al lang weg. Op last van Cabannes.'

'Maar wat doet ú hier?'

'Ik zit hier al de hele middag op dat kleine rotjong te wachten, Monon. Weet jij iets van hem? Zijn ze 'm aan 't verhoren?'

'Niks hoor, die is verplaatst! Zo kunt u lang wachten! Kom maar gauw mee!'

Met vorstelijke rust verlaat Lapo Mosca het Wereldlijk Gerechtshof. De avondklok dreunt over de stad, hij kan zijn klooster niet meer bereiken en acht het daar ook voor zichzelf niet helemaal veilig. Op zijn beurt begeeft hij zich naar de aalmoezenier van Lucca.

Als de gastheer geschaterd en de magister geglimlacht heeft om de poets die rechter Cabannes is gebakken, haalt de aalmoezenier het papier te voorschijn waarop hij de brief van Marco vertaald heeft zoals die door Lapo werd gekopieerd. Marco di Rosso blijkt te reageren op een noodkreet van Filippo, verzonden in juni en behouden gearriveerd in augustus. Daaruit bleek dat Marco's vorig schrijven zijn broer niet had bereikt. Hij herhaalde daarom dat de deskundige, waar Filippo om gevraagd had, al geruime tijd naar Avignon onderweg was. Waarschijnlijk was hij hoog en breed aangekomen, en dan was de rest van deze brief niet langer van toepassing. Mocht hij nog onderweg zijn dan bleven de voorschriften uit het vorige schrijven van kracht: dat Filippo naar hem moest laten uitkijken, zowel op de Mont Ginèvre als bij de rivierhavens – want de route die de alchimist zou nemen hing van de omstandigheden af – om te voorkomen dat hij lastig gevallen zou worden door briganten en vooral door de Gallus. De geleerde stond erop anoniem te blijven, maar zou herkenbaar zijn aan zijn minderbroederskleed en zijn *umbraculum*. Hij beschikte over aanwijzingen betreffende de vindplaats van het materiaal dat hij nodig had. Intussen wilde Marco ook de derde mogelijkheid niet uitsluiten: dat de alchimist in het geheel niet kwam. Niet alleen moest Filippo dan alles in het werk stellen om hem op te sporen – waarbij allereerst te vrezen viel voor de Galli die de vorige brief onderschept zouden kunnen hebben – maar het werd daardoor ook onvermijdelijk dat Marco aan het papier toevertrouwde waar de voornaamste grondstof – salpeter – te vinden was: in een grot op een terrein aan de Gard dat aan wijlen kardinaal Francesco had toebehoord...

'Om dat laatste ging het Filippo,' bevestigt Lapo, 'en de Galli hebben het niet geweten. Het stond niet in de eerste brief omdat Ubaldo het zelf zou vertellen. Wat een geluk!'

'Maar het is Frans gebied,' waarschuwt de aalmoezenier. 'Als de koning er de lucht van krijgt neemt hij de hele zaak in beslag.'

'Volgens mij hebben Filippo en zijn vrienden er het grootste deel al uit gesmokkeld,' meent Lapo; waarop de aalmoezenier concludeert: zo'n activiteit krijgen de verspieders van Cabannes gauw in de gaten.

Magister Ubaldo zit er wat afwezig bij te kijken, tot Lapo hem rechtstreeks vraagt waarom hij zo nadrukkelijk onbekend wenste te blijven?

Dat blijkt een heel verhaal te zijn. Sinds de Slag bij Crécy, waar voor het eerst en weinig efficiënt met vuurwapens gewerkt is, spreken ook in Parijs alle wetenschappers, en met name de Reaal-filosofen, voortdurend over perfectionering van het 'geheime wapen'. Ubaldo's vingers jeukten sinds lang om met het recept, dat hij bij Roger Bacon gevonden had, te experimenteren; maar aan salpeter was niet te komen. In april jongstleden dreef de ziekte waaraan zijn vader stervende was, hem na jaren terug naar Toscane, en hij bracht een beleefdheidsbezoek aan zijn oude provinciaal. Die sprak zijn mond voorbij over de bekommernis van wijlen de kardinaal met betrekking tot het verscholen levensgevaar aan de Gard, dat hij nietsvermoedend aan zijn bezittingen had toegevoegd. Vanaf dat moment lag Ubaldo op de loer. Via zijn broers en zwagers, die zich in de grote handelskringen van Florence bewogen, hoorde hij van de moeilijkheden waarmee hun firmanten in Avignon te kampen hadden, en van hun behoefte aan afdoende beveiliging. Binnen twee dagen had hij contact met een verontruste Marco di Rosso, die hem alle faciliteiten beloofde die hij maar bedenken kon, en de brief aan zijn broer Filippo schreef die in handen van de Galli zou vallen.

De vader stierf en Ubaldo vertrok. Niet naar Parijs, zoals de provinciaal meende, en niet naar Avignon, zoals Marco di Rosso meende. Hij vertrok naar Bologna, waar hij eind juni aankwam en twee maanden bleef. Voor studiedoeleinden, zegt Ubaldo vaag, en omdat er iemand was die hij spreken wou.

Alles goed en wel, maar die anonimiteit?

Ja, kijk, de provinciaal van Toscane was op dat moment officieel nog steeds zijn overste, en stellig een brave man. Een heilige, voor zijn part; maar van wetenschap en vooruitgang moest hij niets hebben. Het is treurig maar waar: als de wereld door heiligen geregeerd werd kwam de mensheid geen stap verder. Om maar iets te noemen: mensen als de provinciaal hebben indertijd het leven van Roger Bacon verpest, hem gekweld en gevangen gezet, en de ontwikkeling minstens honderd jaar tegengehouden. Dat mag niet nog eens gebeuren. Wat Ubaldo uiteindelijk bedoelt is dat de provinciaal hem kort en bondig verboden heeft om zich met buskruit bezig te houden. Dat waar jij voor je plezier mee kokkerelt, eindigt als vernietigingswapen, had hij gezegd.

'Daar kon hij wel eens gelijk aan hebben,' meent de aalmoezenier bedachtzaam.

'Wetenschappelijk heeft hij ongelijk,' verklaart Ubaldo. 'Het is noodzakelijk om te weten wat we met buskruit kunnen doen: alleen dan zijn vuurwapens te beheersen.'

Het is even stil, en dan vat Lapo bot samen: 'Dus als ik het goed zie koos u voor anonimiteit om beter ongehoorzaam te kunnen zijn aan uw overste.'

De magister geeft toe dat die gedachte meespeelde toen hij zijn afspraken met Marco di Rosso maakte, maar op dat punt is de situatie veranderd. De provinciaal is zijn overste niet langer. Dat is een van de dingen die hij in Bologna geregeld heeft. Hij wist dat de generaal van de orde daar op visitatie zou komen. Die kwam met veel vertraging vanwege alle oorlogstoestanden; maar ten slotte heeft Ubaldo hem te spreken gekregen en hij zag zijn verzoek ingewilligd. Voortaan valt hij rechtstreeks onder de provinciaal die over Parijs gaat. Dat is zelf een wetenschapsman. Pater generaal had er alle begrip voor.

'Voor dat buskruit?'

'Voor wetenschappelijke overwegingen in het algemeen. Voor zover ik me herinner hebben we het over buskruit niet speciaal gehad.'

Stilte. De aalmoezenier graait zijn moed bij elkaar tot hij aarzelend durft beginnen: 'Maar doctor... magister... oorlogswapens maken... voor een geestelijke... ik dacht dat leden van uw orde zelfs geen wapens mochten drágen...'

Ubaldo glimlacht vermoeid.

'Ik heb toch niet gezegd dat ik die wapens zelf ga maken...' zegt hij.

Weer valt er een stilte, tot Lapo Mosca bondig uitroept: 'Goed! Klaar! Dat zijn zaken voor uw biechtvader! Aalmoezenier, ga door met je vertaling. Het slot! We hebben het slot van de brief toch nog niet gehad?' Want met toenemende angst en ongedurigheid heeft hij zitten wachten op die ene, bevrijdende volzin over de Petrusbrieven, waar iedereen hardnekkig over zwijgt.

Ook nu weer: 'Het slot? Dat heb ik toch voorgelezen?'

Over de schouder van zijn vriend wijst Lapo naar de laatste woorden die hij met zoveel zorg heeft overgeschreven:

Caū ꝯ crpta S. Ptr Juevtr āp gard fl iux Pontm

'Precies!' bevestigt de aalmoezenier, en leest nog eens voor: 'Cavea seu crypta Salis Petrae invenitur apud Gardonem fluvium iuxta Pontem, ofte wel: de holte of grot van de salpeter bevindt zich bij de rivier de Gard naast de brug.'

Het wijkt enigszins af van Lapo's eigen vertaling die immers luidde: Attentie! De geschriften van de heilige Petrus berusten bij de Florentijnse gardiaan in de omgeving van de paus. (Of misschien bij gardiaan Flavius, had hij er in zijn onnozelheid nog bij gedacht...)

Lezen zonder begrijpen is jagen zonder vangen, luidt een spreekwoord bij hem thuis. De verdere avond spreekt Lapo Mosca geen woord meer.

Omstreeks datzelfde uur bereikt Guillaume de Grimoard, voormalig abt van Sint-Victor in Marseille, een klooster buiten de muren van zijn nieuwe residentie. Hij brengt er de nacht door. Op 31 oktober begeeft hij zich zonder veel omwegen, en zonder te schuilen voor een stortbui, naar de kathedraal waar hij zich door zijn inderhaast toegestroomde geestelijken plechtig laat introniseren. Tegen dat de burgers van Avignon op de hoogte en op de been zijn en de slaap nog uit hun ogen vegen, staat hij op het bordes gereed om hun de gebruikelijke zegen te geven en te doen bevestigen dat hij de gevreesde naam Urbanus zal dragen. Terwijl de gelovigen nog van alle zijden toesnellen, draait hij zich om en verdwijnt binnendoor naar zijn paleis. Van een plechtige intocht ziet hij af, laat hij weten. En aan zijn kroning, aanstaande zondag, wenst hij evenmin een rondrit te verbinden. Persoonlijk ziet hij niets in feesten, de omstandigheden zijn er niet naar, en voor dat soort dingen heeft hij geen tijd en geen geld.

De burgers zijn verbijsterd. Waar hebben ze al hun triomfbogen en slingers dan voor aangebracht? Gunt de nieuwe paus hun helemaal niets, zelfs het kijkspul niet, om van het gebruikelijke geldstrooien maar te zwijgen? Als Urbanus gedacht had dat zijn besluit de rust in de stad zou bevorderen, heeft hij zich vergist. De hele bevolking en al wat uit de ommelanden op de plechtigheden is afgekomen, schoolt samen op straten en pleinen, aanvankelijk verbluft, geleidelijk verontwaardigd.

Tot de weinigen die Zijne Heiligheid bij het ochtendkrieken de stad hebben zien binnenrijden hoort een schamele Toscaanse bedelmonnik bijgenaamd de Vlieg, en hij heeft het gebeuren nauwelijks een blik waardig gekeurd. Zijn gedachten zijn bij de stamvader van alle pausen, en bij diens brief die zoekgeraakt is. Net als de brief van Marco di Rosso; zij het met het verschil dat die van Petrus, ofschoon van wereldbelang, nooit heeft bestaan. Het is een misverstand om te denken dat het verlies om die reden minder zwaar zou wegen.

Lapo is voor dag en dauw naar Filippo di Rosso getrokken om verslag uit te brengen. Ubaldo moet overgebracht worden naar een veilige plaats, vanwaar hij ook zelf niet ontsnappen kan, want in zijn wereldvreemdheid – zegt Lapo eufemistisch – zou hij even bereidwillig voor de Galli aan de slag gaan, als die hem te pakken kregen. Afgesproken wordt dat Filippo zijn alchimist naar een geheim verblijf zal laten brengen in een gesloten draagstoel. Door de feestdrukte zullen zich straks dozijnen draagstoelen bewegen: het risico is miniem.

Anders is het met het risico voor Lapo zelf: Cabannes heeft hem goed genoeg bekeken om hem te herkennen. Filippo, toeschietelijker dan bij hun eerste ontmoeting, weet ook daar een oplossing voor. De inhuldiging van een benedictijnse paus brengt van heinde en verre benedictijnen naar de stad. In de zwarte pij van de oudste der westerse monniksorden trekt hij zeker geen aandacht; Filippo kan er zonder moeite een lenen.

De verkleedpartij helpt Lapo een poosje heen over zijn verdriet. Met het verwisselen van habijt is de vermomming natuurlijk niet compleet: hij moet zich ook bewegen als een zoon van de heilige Benedictus. Franciscanen kuieren. Benedictijnen zweven. Franciscanen praten recht voor hun raap. Benedictijnen murmelen. Als ze ergens door opvallen, dan door hun onopvallendheid. In de stoffenafdeling van Filippo's winkel, waar een spiegel hangt, oefent hij geruime tijd met groot genoegen.

Als hij weer buiten komt is de stemming in de stad veranderd. Het is er niet alleen vol, er hangt ook iets dreigends in de lucht. Filippo is bezig zijn juist geopende winkel weer te sluiten. Hij weet haastig te vertellen dat een boer, die de wijngaarden aan de Gard bewerkt, naar de stad is gekomen om de Toscaanse activiteiten van de laatste dagen aan de overheid te rapporteren. Cabannes zal vermoeden wat daar aan de hand is, en – nu het pausfeest niet schijnt door te gaan – met zijn Galli naar de grot willen rijden. De Toscanen zijn van plan hem dat te beletten. Er ligt nog veel salpeter in de grot. Afgezien daarvan is de dood van Arnaldo di Ruspo nog ongewroken. 'Het wordt vechten vandaag,' zegt Filippo. 'Als ik je een raad mag geven: blijf uit de buurt van de brug.'

Het is dus de brug waar de nieuwbakken benedictijn zich naar toe begeeft. Het begint minder te regenen, wordt lichter, wordt droog... maar tegelijk hoort Lapo hoog in de lucht het gevreesde gieren, dat aanzwelt of het dichterbij komt: de mistral steekt weer op.

Als hij bij de versterkte bruggepoort komt, lijkt ook de drukte, die aanvankelijk vooral op het Domplein heerste, zich hierheen te verplaatsen; maar bij nader toezien – en toeluisteren – is wat er samenstroomt bijna volledig Italiaans, en gaan de gesprekken minder over de vreugdeloze gierigheid van de nieuwe paus dan over de willekeur van Cabannes en de moord op de jonge Ruspo. Lapo herkent de oude Ruspo, in de kring van getrouwen en verwanten die in Toscane zijn 'consorteria' heet. Daar komt Filippo di Rosso aanrijden, ook hij met zijn consorten, die Lapo in de winkel gezien heeft. De magere man die zich naar voren elleboogt is Jachopo de barbier, een foedraal steekt uit zijn laars, zitten daar scheermessen in? Zelfs Peyronne van Beaucaire ziet hij naderbij schuiven, een toegeknoopte doek aan de arm. Rotte eieren? Stenen? Hij ziet haar opeens weer een prijs winnen met raak gooien in een kraam op de markt van Beaucaire...

Als uit de verte de kreet 'Maak plaats' opklinkt en Lapo kurassen van gerechtsdienders ziet blikkeren, krijgt hij het te benauwd in de drukte. Dicht achter zich ziet hij een deurtje van het brug-'châtelet' op een kier staan. Hij vindt er een wenteltrap en bereikt de boven-omloop, waar een aantal burgers eveneens blijkt te hebben post gevat. Na enkele ogenblikken treft het hem dat ze nauwelijks aandacht hebben voor de samenscholing beneden: ze kijken naar de rivier.

Het water stijgt snel, de wind wakkert aan. Door middel van signalen onderhouden de brugwachters contact met de uitkijkers in de toren van de kathedraal. Wat ze vrezen is een 'klap van de Ardèche'.

Op de kade zijn de 'sergents' aangekomen, op de hielen gevolgd door een ruiter in wie Lapo Etienne de Cabannes herkent. Ook hij heeft zijn consorteria: een keurtroep van Galli. Zo te zien zijn ze niet bijzonder talrijk, en ook niet zwaar bewapend. Ze zullen gehoord hebben dat er een oploop is, maar zijn niet op vechten uit. De 'sergents' moeten de toegang tot de brug vrijmaken, want ze willen naar de Gard. Blijkbaar heeft de boer hun precies verteld wat er gaande is in de grot.

Maar Lapo is kennelijk niet de enige aan wie Filippo di Rosso het parool heeft uitgegeven: 'Het wordt vechten vandaag'. De houding van de Toscanen bij de bruggepoort, aanvankelijk alleen luidruchtig, wordt nu agressief. Er worden leuzen gescandeerd: Weg met de Galli! – Voor Arnaldo di Ruspo! – en dan: Dood aan Cabannes! Die kreet verdrijft alle andere. Wordt er gevochten? De mistral jaagt stof en vuilnis op, rukt stormhoeden van hoofden, laat mantels wapperen. Begrijpen de Galli wat er gaande is? Zien ze dat de aanvallen van de tegenstanders voornamelijk gericht zijn op één man? Scharmaaien ze in het wilde weg? Een steen treft de rechter aan het hoofd, een lans schampt zijn arm; en allen, Fransen en Italianen, brullen zo hard als ze kunnen. Ook het paard van Cabannes is nu gewond, het strompelt. Maar op dat ogenblik hebben de 'sergents' de oprit naar de brug schoongeveegd. Cabannes stort zich de poort door, een aantal Galli volgt hem.

Dan klinkt er iets uit boven het geschreeuw: in de Domtoren begint de noodklok te luiden. Het alarm wordt overgenomen door de hoornsignalen van de brugwachters. Armen wijzen stroomopwaarts, waar een lawine van water lijkt aan te rollen. Een vloedgolf! De 'klap van de Ardèche'!

De ruiters op de brug raken in paniek. Ze trachten te keren. De brug is nauw. Ze springen van hun paarden en rennen terug naar de wal. Allen... op een na. Ginds op de brug, vlak bij de kapel, is het paard van Cabannes stokstijf blijven staan. Wat de rechter ook doet, hij geselt het dier, hij geeft het de sporen, het komt niet in beweging. Zou hij de kapel kunnen bereiken dan waren paard en ruiter gered. Als de rechter ten slotte afstijgt om te voet naar die schuilplaats te gaan is het te laat. In een berg van woedend water worden Cabannes en zijn rijdier over de brugleuning de Rhône in geslingerd.

De menigte bij de ingang van de brug weet niet aanstonds wat er gebeurd is. De bruggepoort heeft zowel het water als het uitzicht tegengehouden. Sommigen zijn nat, anderen gewond, en enkelen zo dronken van vechtlust dat ze 'Sla dood' blijven schreeuwen en met knuppels op willekeurige omstanders inslaan.

Maar geleidelijk wordt een gerucht tot zekerheid. De 'klap van de Ardèche' heeft een slachtoffer gemaakt! Het moet rechter de Cabannes zijn! Het ís rechter de Cabannes! Hij is dood! Nooit heeft iemand de vloedgolf overleefd! De stemming slaat om. Alles wat Italiaans is begint te juichen. Dat hun positie precair blijft, dat de Galli als partij niet verdwenen zijn: op dit moment deert het niemand. Cabannes is dood en geen mens kan van moord beschuldigd worden: de Rhône heeft het gedaan!

Ja? Vanaf de brugpoort viel meer te zien dan van beneden, maar de wachters lijken alleen oog gehad te hebben voor de vloedgolf. Niemand heeft althans gewezen op wat Lapo zelf het meeste trof; en dus zwijgt hij erover.

Wat hemzelf het meeste trof: het was het páárd van Cabannes dat het dodelijk ongeval veroorzaakte. Als het gereageerd had op de aandrang van zijn berijder, waren ze samen bijtijds in de Nicolaaskapel beland, en de Nicolaaskapel is overeind gebleven. Het was het paard dat stokstijf bleef staan, niet voor- of achteruit durfde, zelfs niet hinnikte of steigerde, zoals de paarden van de andere Galli toen ze de vloedgolf zagen. Het paard stond onbeweeglijk omdat het gebiologeerd werd. In de Provence, of misschien in heel Frankrijk, of op de hele wereld, is er maar een die dat kan...

Of was. Lapo kan niet zweren dat hij goed gezien heeft, en ook dit is hem door niemand anders meegedeeld: dat er, behalve die ene ruiter en zijn paard, nog een derde levend wezen van de brug is af geslagen: een kleine onopvallende man die bijtijds gehoord had dat de laatste Cabannes op wie hij zich wreken moest, de Rhône over zou gaan...

De gedachte laat hem niet los. Behalve Petrus-de-briefschrijver hebben weinig figuren hem op deze reis meer beziggehouden dan Colas-de-Vogelplukker. Natuurlijk gaat hij eerst bij zijn landgenoten langs, die door het dolle heen zijn; ergens brullen ze mee met een kapelaan die op een tafel is geklommen en almaar de lofzang van Mozes ten beste wil geven:

> Laat ons zingen voor de Heer want hoog is hij verheven,
> paard en ruiter wierp hij in zee!

Maar zo goed als het toeven is tussen feestvierende Toscanen, na de maaltijd en de nodige glazen neemt hij een besluit en gaat op zoek naar de stalknecht die de rechter op zijn laatste droevige reis naar zijn stamslot vergezeld heeft. Het blijkt een zekere Giraud te zijn, en ook die kijkt diep in zijn glas. Hij huilt er zelfs tranen bij. Lapo is verrast – tot hij hoort dat Cabannes te vroeg is gestorven om het jaargeld dat hij Giraud sinds lang beloofd had, in zijn testament vast te leggen...

Hij begint bij het begin van wat Lapo wil weten. Nog toen de heks onder water lag kwamen haar vervloekingen als luchtbellen omhoog, hoe zouden ze hun uitwerking kunnen missen? Dat de heren van Cabannes mochten verdrinken, net als zij, zou ze gezegd hebben; maar daar is Giraud niet zeker van. Hoe dan ook: zo is het wel gegaan.

De oude heer stond bij de watermolen, bezig een meelwagen te controleren – zulke dingen deed hij nu eenmaal – toen een kleine sluisdeur geblokkeerd raakte en de Durance zich in een stortvloed over hem heen wierp. Wiens schuld? Mensenwerk was het niet: de sluisdeur werd klem gezet door een enorme zoetwateraal die zich niet meer bewegen kon.

Enkele uren later werd de broer van de rechter door het ongeluk getroffen. Hij wist niets van wat er thuis gebeurd was, die ochtend vroeg al was hij op jacht gegaan in de zuidelijke moerassen om eenden te schieten. Hij kende de streek en haar gevaren goed. Nooit zou hij van het veilige pad zijn afgeweken als er geen grote zeldzame vogel – een zwarte ibis, zei de jager, die mee was – roerloos op een graspol was blijven zitten, net buiten zijn bereik. Die moest en zou hij hebben! Hij boog voorover en viel en stikte in de modder, zijn jager heeft hem niet weten te redden. Nee, voor zover Giraud weet was er in heinde en verre geen mens aanwezig; maar er groeiden natuurlijk wel manshoge rietbossen... Kom, waarom aan mensenwerk denken? Het was de vervloeking van de heks die in vervulling ging.

Dat gelooft Lapo ook; maar dat een tussenpersoon zich met die vervulling belast heeft, betwijfelt hij niet langer. Colas Cuelhauzelh heeft, om zijn moeder te wreken, niet enkel zijn gaven maar ook zijn leven ter beschikking gesteld.

Hoe past dat in het beeld van een Anti-Franciscus? Hij denkt aan de diverse Antichristen waar Jean van Roquetaillade zich druk over maakt. Gruwelijk zullen ze zijn, maar ze hebben een taak. God duldt hun komst niet voor niets: ze moeten de wereld van slechtaards zuiveren voor het Duizendjarige Rijk kan beginnen. De Duivel uitbannen met Beëlzebub: is dat wat God liet geschieden op de Rhônebrug voor de ogen van Lapo Mosca? Een wandschildering in het pauspaleis is alles wat er overblijft van Colas Cuelhauzelh; en de paus die ertegen aankijkt heeft geen idee waar die behendige bomenklimmer voor staat...

Niet dat Urbanus v veel tijd heeft om naar schilderijen te kijken; en waarschijnlijk ook niet veel goesting. De luxe van het paleis is weinig aan hem besteed. Hij blijft zijn oude habijt dragen, leeft vooral op water en brood, slaapt op de grond... en als hij niet bidt of biecht is hij aan het werk. Oudere kamerheren zijn verbijsterd. Ze herinneren zich voorgangers die zich uit bed lieten halen, zich lieten aankleden, hoed opzetten, handschoenen aantrekken. Een manteloptiller stond klaar als gelovigen een pauselijke voet moesten kussen, een sleepdrager voor als hij zich bewoog over de tapijten die speciale uitrollers voor hem klaarlegden. Speciale knechten hesen hem op zijn paard en reikten hem de teugels, en was het warm, dan kwamen de waaierwuivers in actie.

Bij Urbanus niets van dat alles. Het pausschap is een hem opgelegde boete. Er ligt achterstallig werk van maanden, en in het dagelijks bestuur van het hof en de stad is allerlei uit de hand gelopen. Hij heeft weinig tijd nodig om zich op de hoogte te stellen en in te grijpen. In de stad keert de rust terug. Het zal misschien niet lang meer duren of stromingen als de Franse liga en het Toscaanse verzet verdwijnen ondergronds.

Allerzielen, Allerheiligen. De wind is gaan liggen en er schijnt weer zon, maar de herfst is voelbaar en in de bergen valt sneeuw. Als Lapo Mosca nog over land naar huis wil, moet hij vertrekken. Zijn afscheid is gauw genomen. Van de aalmoezenier uit Lucca, die hem benijdt. Van Jachopo de barbier, die zojuist zijn erfdeel heeft losgekregen. Van magister Ubaldo, wiens proefnemingen hardnekkig mislukken. Veel salpeter verknoeien kan hij niet, want zoals te verwachten viel is de Franse kroon opmerkzaam geworden op de grot, en heeft ze er onmiddellijk beslag op gelegd. Notaris Angelo zal zich in nieuwe, moeilijke bochten moeten wringen om het legaat voor de franciscanen alsnog gerealiseerd te krijgen. Voor Lapo wil dat zeggen dat hij naar huis keert met lege handen.

Volstrekt lege handen. Maria's geliefde neef is dood, en van de profetische broeder Jean ontbreekt ieder spoor. Lapo heeft nog eens de tocht naar Villeneuve ondernomen en ofschoon hij kardinaal Talleyrand ditmaal thuis trof, werd het onderhoud een mislukking. De oude man was verantwoordelijk voor de betrekkelijke vrijheid waarin de profeet in Bagnols kon leven. Hij toonde zich zo verbitterd over het misbruik dat Jean daarvan maakte, dat hij ook Lapo op een haar na de deur liet uitgooien. Zo komt het dat Lapo zijn plaats in een konvooi naar Toscane reserveert met de dood in zijn hart.

Maar in het hart van het getto is leven! De joodse gemeenschap is bijna even blij als de Toscaanse met het verdwijnen van Etienne de Cabannes; en alle tekenen wijzen erop dat de nieuwe paus aan de oude privileges niet zal tornen.

Lapo heeft dokter Creyssent nog niet eerder zo opgewekt aangetroffen; en zijn dochter is opgewonden en steekt in feestkledij: haar beste vriendin gaat trouwen. Onder het mouwloze, roodfluwelen overkleed draagt ze een *cotte* van zware roze zij, wijd van mouwen en met wijnranken geborduurd; haar donkere haar golft er schijnbaar achteloos overheen. Lapo aarzelt of hij haar een van de rondelen durft laten horen die hij in verloren ogenblikken op haar gemaakt heeft, o, allerbetamelijkste huldigingen in troubadoursstijl, haar vader zou ze gerust mogen horen... maar hij krijgt de kans niet. Mirjam zelf is aan het dichten geweest, die avond beleeft de schepping haar première, keurmeester Lapo komt als geroepen! Precies als de vorige keren!

> 'Hoe schoon is de bruid
> als zij danst, goud-omhangen,
> bij citer en fluit
> met sierlijke schreden!
> Hoe schoon is de bruid:
> als duiven haar wangen,
> als amber haar huid,
> gazellen haar leden.
> Hoe kuis is de bruid
> als zij danst, schroombevangen
> bij citer en fluit...'

Lapo klapt, Lapo bewondert, Lapo is onthutst: zo'n lied zou hij nooit kunnen maken, al stopte hij het hele Hooglied erin. De vorm klopt niet helemaal – ook niet in volgende strofen, want Mirjam is nog lang niet uitgezongen over de ideale bruid die zij, uiteraard, straks zelf denkt te zijn – maar het is of die vorm ook niet hoort te kloppen. En het meest verrast hem de melodie, de uitheemse toonsoort, de lange notenreeksen waar Spanje en Arabië in lijken mee te zingen. Mirjam lacht. Het wijsje is van haar bruidegom, die jarenlang voorzanger geweest is; haar vader zegt: zulke melodieën worden sinds eeuwen meegedragen als pluizen aan de mantel van de Verstrooiing. Lapo glijdt terug in zijn treurige stemming. Mirjams lied heeft, meer dan ooit, die andere wereld opgeroepen waarvan hij buitengesloten is; en dat de versvorm die híj haar geleerd heeft de functie kreeg van een minnespel tussen haar en een andere man vindt hij plotseling moeilijk te verteren. Heeft Monna Maria niet op een zelfde manier zijn verering willen misbruiken ten bate van haar waardeloze neef? Is het dage-

somberder uit dan hij gewild had. Nul op ieder rekest is plotseling zo weinig dat het te veel wordt om te dragen; of ligt het aan de verwarrende nabijheid van Mirjam dat er tranen van zelfmedelijden achter zijn ogen prikken? Dat is hem in jaren niet gebeurd!

Het blijft stil na zijn woorden. Als zijn ogen weer kijken kunnen vangt hij een blik op die vader en dochter wisselen, en beschaamd begint hij afscheid te nemen. Natuurlijk, ze moeten naar een bruiloft, hij stoort! Maar dokter Creyssent laat hem niet gaan. Hij staat op het punt een verhaal te vertellen op de manier die Lapo nu van hem heeft leren kennen: half voor zich heen, en voor de goede luisteraar vol dubbele bodems. Lapo's hoofd staat niet erg naar verhalen, maar ieder uitstel van dit afscheid-voor-het-leven is welkom.

Maakt Creyssent het zich niet te gemakkelijk? Hij steekt van wal met de overbekende geschiedenis van de profeet Jona. Die kreeg de goddelijke opdracht om de stad Ninive te gaan waarschuwen voor een dreigende verwoesting. Hij spartelde tegen, want Ninive was een stad van ongelovigen, wat moest hij daar?

'Het staat niet geschreven,' vervolgt de arts met een smal glimlachje, 'maar als je 't mij vraagt was Jona niet de enige die tegenspartelde. Het hele rabbinaat tot de hogepriester toe moet in opstand gekomen zijn. Een leugenprofeet moeten ze Jona genoemd hebben. Een opdracht als de zijne kon niet van de Heer afkomstig zijn. Het bestond niet dat Die – Zijn naam zij geprezen – zich zou bekommeren om ongelovigen. Misschien verboden ze hem om naar Ninive te gaan, misschien achtervolgden ze hem...'

'Misschien moest hij daarom wel onderduiken in de grote vis,' suggereert Lapo, die voor dit soort bespiegelingen toch onder alle omstandigheden wel te vinden is.

'Hoe dan ook, ten slotte deed Jona wat hem opgedragen was, zoals je weet, en Ninive bleeft gespaard. Maar toen? Kon hij wel terug naar het land Israël, waar ze hem een godslasteraar noemden en een landverrader – want natuurlijk hadden ze daar veel liever gezien dat het grote goddeloze Ninive eens en voorgoed verwoest werd. Ik denk dat ze hem graag gevangen hadden genomen. Dat

en een landverrader – want natuurlijk hadden ze daar veel liever gezien dat het grote goddeloze Ninive eens en voorgoed verwoest werd. Ik denk dat ze hem graag gevangen hadden genomen. Dat Jona zich een poosje verbergen moest. Maar waar?'

'In Ninive,' antwoordt Lapo zonder aarzelen.

'In Ninive, dat denk ik ook. En daar zou hij dan moeten blijven tot er in zijn vaderstad een hogepriester kwam die geloof hechtte aan de goddelijkheid van Jona's opdracht. Die inzag dat de Heer ook buiten Israël zijn schepselen in het oog houdt...'

Er is iets met dat verhaal. Ergens rinkelt er een belletje doorheen, een overeenkomst die voor het grijpen ligt. Lapo tast ernaar, maar kan zich niet concentreren.

'Tja,' zegt Creyssent, 'voor ik het vergeet: nog een kleinigheid. Mijn dochter dringt er al sinds je vorige bezoek op aan dat ik je iets laat zien. Ik heb daar lang over nagedacht, en er met een belanghebbende over gesproken, en ik ben tot de conclusie gekomen dat het verstandig is om te doen wat ze voorstelt. Maar het is een enorm blijk van vertrouwen dat we je daarmee geven, broeder koetsier, en dat terwijl het leven ons heeft afgeleerd om goed van vertrouwen te zijn. Als je bekend zou maken wat je te zien krijgt breng je het leven van tientallen mensen in gevaar. Je moet zweren, hier, met je hand op wat jullie het Oude Testament noemen, dat je er met geen woord tegen wie dan ook over spreken zult.'

Een ogenblik is Lapo in paniek. Alle gruwelverhalen die over joden de ronde doen dringen zich aan hem op. Wat gaan ze hem vertonen, opgeroepen doden, zwarte missen, demonen, geslachte christenbaby's? Jona en Ninive, er móét verband zijn met dat verzinsel, maar welk, en waarom?... Dan ziet hij Mirjam stralen als een kind dat een verrassing achter de rug houdt. Hij ziet de waakzame welwillendheid in de ogen van Creyssent. Ze willen hem een genoegen doen, die twee, hij kan ze niet teleurstellen. Hij legt zijn hand op het boek en prevelt een eed. Zelfs de mededeling dat minderbroeders niet zweren mogen kan hij niet over zijn hart en zijn lippen krijgen.

Mirjam hangt hem de welbekende koetsiersjas om. Daarna

kust ze hem op beide wangen, want dit is het afscheid: ze moet weg om de bruid op te tuigen. Met Creyssent verlaat Lapo het huis en betreedt hij door een achterdeur een gebouw dat aan de voorkant misschien de synagoge is, maar aan deze zijde dienst doet als bibliotheek. In een zijkamer zit een oude man in een wal van manuscripten te studeren. Als hij vluchtig opziet met een afwezige glimlach, is het voornaamste dat Lapo van zijn gezicht ziet, een groot littteken over zijn wang, dat door een grauwe baard maar gedeeltelijk wordt bedekt. Als hij zich weer over zijn folianten buigt – diep buigt, zijn ogen moeten slecht zijn – verraadt zijn hoofd een halfvergroeide kruinschering. Creyssent sluit de deur weer en ziet Lapo glimlachend aan.

Jean de Roquetaillade.

Ninive dus. Het getto van Avignon als het Ninive uit Creyssents parabel, waar een door zijn eigen clerus vervolgde profeet een veilig onderdak vond. Nabestaanden van de grote Levi ben Gersjom uit Bagnols hebben broeder Jean het kasteel uit gesmokkeld toen bekend werd dat hij opnieuw voor de Inquisitie zou moeten verschijnen. Hij had zich toen al jaren intens met het nieuwe Arabisch-joodse denken beziggehouden en het was voor niemand gewenst dat de inquisiteur daarachter kwam.

'Maar dat deed hij in opdracht van kardinaal Talleyrand,' zegt Lapo verontwaardigd. 'Die had hem toch kunnen beschermen?'

'Tegen de Inquisitie staat ook een kardinaal machteloos. Maar het gebeurde met zijn goedkeuring en zegen dat Jean de Roquetaillade hierheen kwam.'

'Nee hoor! Talleyrand weet van niets!'

'Talleyrand weet alles. Je denkt toch niet dat hij het achterste van zijn tong laat zien aan een wildvreemde, en dan op de koop toe een minderbroeder?'

'Hoezo op de koop toe? Wat is er dan zo bijzonder gevaarlijk aan ons?'

'Kom, broeder koetsier, daar weet je het antwoord op. Jouw Franse medebroeders zijn de ergste vijanden van broeder Jean, met als nummer één de inquisiteur die overste is van het klooster hier. Hugo van Cardillon.'

De oude kardinaal leeft in de verwachting van het Nieuwe Jeruzalem, steunend op de voorspellingen van zijn lijfprofeet. Na de gesel van de Antichrist en een bevrijdende kruistocht zal daar het Duizendjarige Rijk beginnen, dat joden en christenen verenigen zal onder een joodse paus. Voor die toekomst verricht broeder Jean het grondwerk in de Hebreeuwse bibliotheek van Avignon. De gunst van een kardinaal is van grote waarde voor de joodse gemeenschap, en de paar geleerden die van Jeans identiteit op de hoogte zijn hebben dan ook geen bezwaar tegen zijn aanwezigheid. Integendeel! Ze zijn druk bezig Jean te bekeren, en Jean is druk bezig hén te bekeren. Voor geen van beide partijen lijkt succes weggelegd, maar och, zegt Creyssent, 'als medicus leer je ook de flauwste ademtocht met zorg te omgeven. Waar gepraat wordt is leven, al duurt het gesprek vijf minuten en levert het nog in geen vijf eeuwen iets op...'

Tot dusver was Talleyrand de enige onder de christenen die bekend was met Jeans verblijfplaats. Maar de kardinaal is niet erg gezond en heeft al eens een kleine beroerte gehad. Het is om die reden dat broeder Jean ermee akkoord gaat althans één persoon buiten het getto bij het geheim te betrekken. Het zou een franciscaan moeten zijn die volstrekt buiten de vijandige Franse kliek stond, een Toscaan, waarom niet, als het maar zeker was dat hij zou zwijgen...

'Toch niet tegen pater generaal!', roept Lapo ontzet. Hij had zich dat gesprek juist voor zitten stellen. Knap werk, had hij de generaal horen zeggen... Dwars daardoorheen waarschuwt nu Creyssent: 'Je hebt een eed gezworen.'

Een eed met één ontbindende voorwaarde. Als Talleyrand sterft is de generaal van de minderbroeders de enige die Jean de Roquetaillade misschien beschermen kan. Het is dan dat Lapo met zijn hoogste baas mag spreken.

'Ik heb Talleyrand gisteren gezien. Die sterft nog in jaren niet,' zegt Lapo bitter. Nu pas dringt de volle omvang van zijn bezworen belofte tot hem door. Mirjam dacht hem een plezier te doen: het tegendeel blijkt waar te zijn. Niets vinden is minder zwaar dan een vondst verzwijgen. Niet alleen zal hij gehoond worden om dat waarvoor hij lof verdient: de complicaties die opdoemen voor hem als monnik die tot biecht en gehoorzaamheid verplicht is, zijn nauwelijks te overzien. En dat terwijl hij, daarstraks in de bibiliotheek, nog wel zo zeker had geweten dat de Voorzienigheid hem bij de Creyssents had gebracht om hem tenminste in één opdracht te laten slagen! Als een kat met een muis: zo heeft de Voorzienigheid op deze reis met hem zitten spelen, zegt hij hardop.

Nathan Creyssent glimlacht als tegen een balorig kind. 'Misschien om je te leren dat ze zich niet over de schouder laat kijken,' zegt hij, en staat op om het onderhoud te beëindigen. Omdat hij naar de bruiloft moet? Omdat Lapo Mosca hem te naïef is? Verongelijkt haalt Lapo zijn schouders op.

'U hangt liever af van dienstplichtige sterren!' schampert hij. 'Zullen we het dan maar niet houden op het Rad van Vrouwe Fortuna? Dan is Gods rechtvaardigheid tenminste niet in het geding.'

Creyssent legt even zijn hand op Lapo's schouder. 'Ik geef je als reisgenoot Jesjajahoe mee, die jullie Isaïas noemen,' zegt hij; en hij citeert: 'Zo ver als de hemelen boven de aarde verheven zijn, zo ver zijn Mijn wegen verheven boven uw wegen, zegt de Heer. Wie zijn wij, dat we die wegen in kaart durven brengen?'

Zolang ze door het Durancedal rijden zit Lapo Mosca te slapen. Niet omdat hij boos is: omdat hij moe is. Nooit eerder heeft een karwei hem zo uitgeput en zo weinig opgeleverd. Het eerste als gevolg van het laatste? Of is het gewoon waar wat ze zeggen: dat hij een oude kerel is die voor speurderswerk niet langer deugt? De avond tevoren is hem zijn laatste rondeel ingevallen:

> 'Twalef ambáchten, dertien ongelukken,
> samen bepalen ze Lapo's bestaan.
> Wéér ligt de taak die hij meekreeg in stukken.

Twalef ambáchten, dertien ongelukken,
Lapo is oud en zijn geest loopt op krukken,
wie wil er Lapo Mosca z'n baan?
Zoveel ambachten, zoveel ongelukken,
samen verpesten ze Lapo's bestaan.'

Hij schokt wakker als het konvooi halt houdt bij een pleisterplaats. Het is er druk, vooral met geestelijken die zich in omgekeerde richting bewegen: allemaal willen ze aanwezig zijn bij de pauskroning die morgen plaats moet hebben en waarvan ze zich in hun onschuld allerlei festiviteiten voorstellen. Lapo verlaat de koets om zich wat te vertreden, hij heeft steenkoude voeten gekregen en verstijfde spieren, ook zo iets voor oude mannen. Hoe heet het hier trouwens? Het heet hier Cavaillon.

Tussen de reizigers die de herfstlucht lopen in te ademen ziet hij een medebroeder, en na enig nadenken herkent hij hem ook: het is Flavio, die het tijdens zijn noviciaat tot lokale beroemdheid bracht omdat hij zoveel vijgen kon eten. Het heeft zijn carrière niet geschaad, integendeel, hij bracht het tot gardiaan in zijn geboorteplaats: Napels.

'Zijne Heiligheid is een goede vriend van mij geworden,' vertelt hij stralend. 'Het zou me niet verbazen als hij me bij zich hield in Avignon. Ik heb een heel bijzonder cadeau voor hem meegebracht, je raadt nooit wat!'

('...apud gardianum Flavium iuxta Pontificem...' Het is te bitter.)

'Een onbekende brief van de apostel Petrus,' hoont Lapo.

Als er geen antwoord komt kijkt hij op en ziet twee wijd open ogen.

'Hoe weet jíj dat?' vraagt Flavio.

De eerste aanzetten tot de discriminatie van de Toscaanse minderheid in Avignon, die onmiskenbaar van invloed zou zijn op het beruchte interdict van 1376, vindt men, passim, in: J. Chiffoleau, *Les justices du pape, délinquence et criminalité dans la région d'Avignon au quatorzième siècle* (Parijs 1984); de animositeit heeft daar echter nog niet tot de vijandigheid geleid die in ons boek wordt beschreven. Wel ontmoet men er figuren als Cabannes, Ruspo, Monon en tal van 'gemengde berichten' waarvan dankbaar gebruik is gemaakt.

Bernard Guillemain, *La Cour pontificale d'Avignon (1309-1376), Etude d'une société* (Parijs 1962) geeft inzicht in het uiterst gecompliceerde functioneren van de pauselijke en stedelijke besturen. Over de eindeloze verwarring en de rivaliteit tussen de twee nietclericale gerechtshoven (Cour Temporelle en Cour du Maréchal) zie onder andere 512 vv; over de joodse gemeenschap 642 vv (inclusief dr. Nathan Creyssent). Voor de in Italië gangbare, 14e-eeuwse afkortingen in Latijnse teksten zie het bekende *Lexicon Abbreviaturarum* van A. Cappelli (Milaan ^{6}1961). Algemene informatie geeft het standaardwerk van G. Mollat, *Les papes d'Avignon* (gebruikt werd Parijs ^{3}1949) alsmede de door Mollat heruitgegeven *Vitae paparum Avinoniensium* van St. Baluzius (Parijs 1916-1920). Over scheepvaart op de Rhône: F. Braudel, *L'identité de la France*, t.I., 238 vv (Parijs 1986). Over Johannes de Rupescissa schreef J. Bignami-Odier, *Etudes sur Jean de Roquetaillade* (Parijs 1952). En natuurlijk zijn de berichten over Avignon, die Matteo Villani geeft, verspreid in de 'Istorie fiorentine' vanaf boek XI, fraaie getuigenissen van onvervalst Florentijnse roddel.

De geschiedenis speelt zich af in het najaar van 1362.